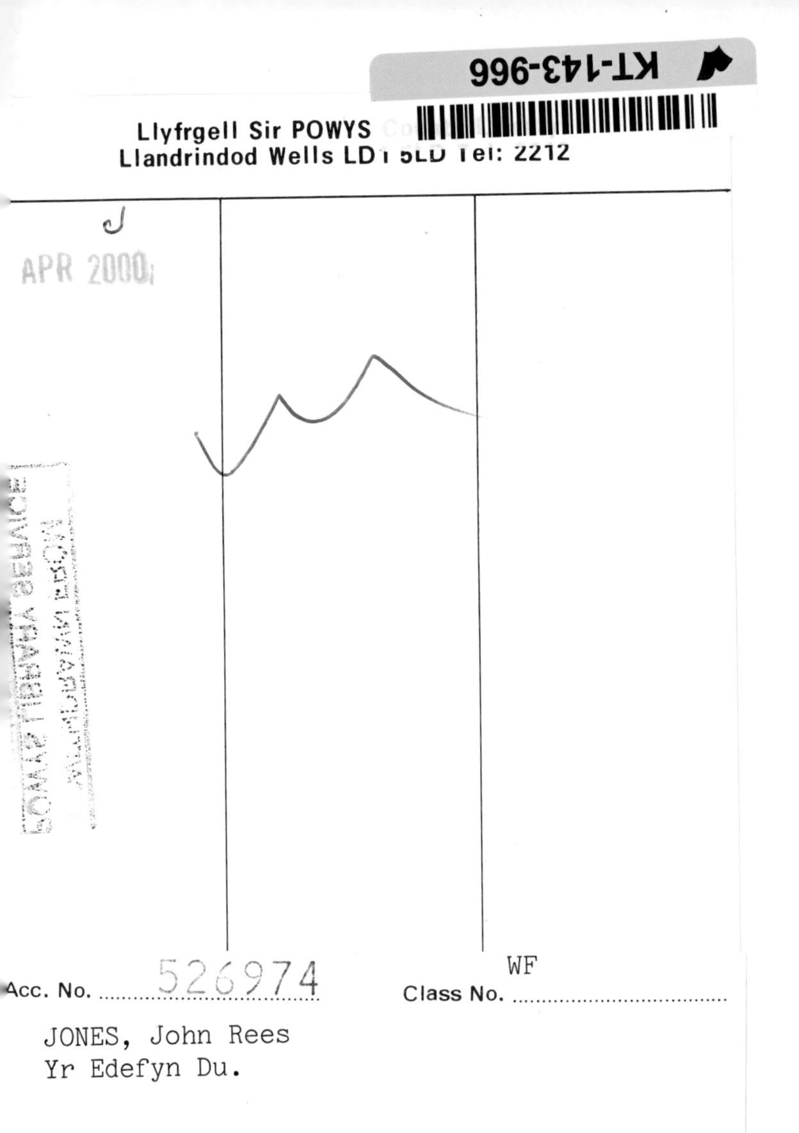

YR EDEFYN DU

John Rees Jones

Argraffiad Cyntaf — Tachwedd 1989

ISBN: 0 86074 033 1

Dymuna'r cyhoeddwyr gydnabod cymorth a chyfarwyddyd Adrannau'r Cyngor Llyfrau Cymraeg a noddir gan Gyngor Celfyddydau Cymru.

Cyhoeddwyd ac Argraffwyd gan Wasg Gwynedd, Caernarfon.

Cynnwys

I Gwen

Yr Edefyn Du

Dyna Huwcyn wedi mynd. Ddaw o ddim yn ei ôl. Mi wn i hynny o'r ffordd y caeodd o'r drws yn glep. Er pan aeth o rydw i'n eistedd o flaen fy nhân nwy yn fy fflat, ac mae hi'n ddistaw yma. Arna i mae'r bai ei fod o wedi mynd. Mi ddaeth rhywbeth drosta i; eisiau ei frifo fo. Dyma'r hen gymhlethdod sy'n perthyn i mi: mynnu lladd yr hyn rydw i'n ei garu. Wrth eistedd yma'n edrych yn ôl ar fy mywyd gofynnaf o ble daeth yr edefyn du yma i'r gwead. Fe'i gwelaf hyd yn oed yn f'atgofion cynharaf. Edefyn main iawn oedd o bryd hynny ond yr un oedd ei hanfod. O ble daeth o? Neu yn bwysicach, beth wna i efo fo?

Cofiaf yn iawn fy niwrnod cyntaf yn yr ysgol. Arthur yn stwffio ei frest fudr o'm blaen. Sandra Trwyn Mochyn un ochr iddo, a'r ochr arall, Lil, a'i gwallt du yn ffrâm am ei hwyneb llwyd. Tair gwefus fingam a thri phâr o lygaid main.

'Mae gan Dad lori fawr i fynd â phlant fel chdi i ffwrdd.'

'Ac mae yna graen mawr i godi fel yna,' meddai Sandra gan wneud siâp un â'i dwylo. 'Mae yna fachyn i wasgu am dy fol di.'

'Nac oes,' taerais fy ngorau yn eu hwynebau.

'Mi gei di weld.'

'Mi gei di dy wasgu'n seitan.'

'Dy fol di fel yna.'

Doeddwn i ddim yn coelio. Rydw i'n siŵr o hynny. Fy ninistr i oedd na fedrwn i ddim taeru. Doedd gen i ddim geiriau; roedden nhw'n gwywo oddi mewn i mi.

'Mi ddeuda i amdanoch chi wrth Nain!'

'Babi Nain! Babi Nain!'

Dyna fy ngwendid i i'r golwg. Doedd gen i ddim mam. Nain ddaru fy magu i ac roeddwn i rywsut ar fy ngholled bob tro. Mae gwahaniaeth rhwng dweud — 'Mae Nain yn deud' ac 'Mae Mam yn deud'. Ai hyn oedd yn fy ngosod ar wahân? Ai dyma pam yr es i i'r gongl ar fy mhen fy hun fel Leusa ddrewllyd?

Doedd Nain ddim yn hen ychwaith fel y dylai neiniau fod. Na, gwisgai Nain ddillad lliwgar a rhoddai bowdwr ar ei thrwyn bach a minlliw ar ei gwefusau anghytbwys. Lliwiai ei gwallt yn felyn fel pe bai'n hogan ifanc. Bob nos Wener troediai'n ysgafn i'r bingo, a throediai yr un mor ysgafn i'r capel ar nos Sul i roi ei chasgliad mis. 'On'd ydi bywyd yn felys!' meddai gan chwythu mwg ei sigarét i'r awyr.

'Nain. Mae gan y plant eraill fam.'

'Fi ydi dy fam di rŵan.'

'Be ydi'r gwahaniaeth rhwng nain a mam?'

'Mam dy fam di ydi dy nain.'

'Lle mae fy mam i? Fy mam i . . . fy mam . . .'

Cwestiwn yn atseinio yn y gwacter. Ydi o'n iawn i mi ddweud mai'r gwacter hwn ydi pob gwacter fu gen i erioed yn fy mywyd? Disgwyl gweld rhywun neu rywbeth yn dod rownd y tro, ond neb yn dŵad.

Wedyn mi fydda i'n meddwl fod y bai ar y pentref lle'm magwyd i. Mae pobl eraill wedi derbyn maeth o'u cynefin nes bod eu cymeriadau wedi magu rhyw ruddin. Nid felly fi. Ches i ddim byd o'r pentref. Safai ein tŷ ni ar godiad tir uwchlaw iddo, ac oddi yno gallwn weld dwy res o dai di-nod o bobtu ffordd gul, capel torsyth yn un pen ac ysgol yn y pen arall. Ches i ddim byd o'r capel i'm cynnal, dim parhaol i nyddu patrwm fy mywyd ohono, dim y medra i ddweud amdano: 'Weli di'r edefyn yna yn y gwead? O'r capel y ces i hwnna.' Doedd yr ysgol ychwaith yn ddim ond diflastod i mi. Llwydaidd a bras yw'r edafedd yn y defnydd. Beth ges i o'r tai ond gwenwyn a malais, cŵn yn fy nghyfarth wrth basio a phlant budron yn fy mhledu â cherrig? Doedd dim yma ychwaith y gallwn i ddweud amdano: 'Copïa'r patrwm yna, dyna'r edafedd i ti'.

Beth yw diben fy holi fy hun fel hyn? Efallai mai'r cwbl a wnaf yw gwisgo rheswm am hen deimladau'r galon. Mae hunan-dwyll mor agos ataf.

Mae gennyf gof byw o bnawn Sadwrn gwlyb yn y tŷ. Roeddwn i wedi ffraeo â'r doliau i gyd ac wedi eu taflu yn bentwr i gornel y soffa a'u pedwar troed oddi wrthynt. Er mai canol pnawn oedd hi, deuai mwy o olau i'r aelwyd o'r tân yn y grât na thrwy'r ffenestr. Edrych trwy'r ffenestr a wnawn i. Safwn ar y soffa a'm dau droed yn suddo i'w sbring. Cawn ffrae gan Nain am wneud, a chofiwn innau hyn gyda phleser. Llifai'r glaw i lawr gwydr y ffenestr a phob diferyn efo pen du a bol disglair. Nain oedd y diferyn mawr a minnau yr un bach. Roedd hi'n ras rhyngom i gyrraedd y gwaelod. Cychwynnem efo'n gilydd ond yna Nain yn brysio gyntaf, wedyn finnau yn ei goddiweddyd. Siwrnai igam-ogam oedd hi a'r diferion yn uno efo rhai eraill. Cyn cyrraedd y gwaelod dyna ddiferion Nain a minnau yn uno â'i gilydd, ac yn llithro i lawr yn sydyn o'r golwg, fel na allwn i mwyach ddweud y gwahaniaeth rhyngddynt.

'Eirlys, wyt ti ar dy draed ar y soffa yna eto?' gwaeddodd Nain o'r pantri.

'Nac ydw, Nain,' meddwn innau gan blygu fy mhenliniau'n araf at y soffa ond fy mhrotest yn rhwystro iddynt lawn gyffwrdd. Pwysais fy mhen ar sil y ffenestr a dal i edrych ar y diferion glaw yn rhedeg i'w gilydd. Roeddynt yn rhedeg i lawr y paen yn ddiddiwedd ac i mewn i'm pen fel artaith.

Yna newidiodd yr ystafell yn sydyn. Agorodd y drws a safai 'Nhad yno yn ei gôt wlyb ond yn gwenu fel haul. Roedd ganddo barsel o dan ei fraich. Rhywbeth i mi. Tynnodd ei gôt ac agorodd y papur a oedd am y bocs.

'Yli,' meddai. Chwarddai drwy'r amser. Wyddwn i ar y ddaear am beth, ond teimlwn fy mod i yn yr hwyl.

'Eirlys! Drycha! Beth sydd i mewn ynddo fo? Y?' gofynnodd a'r dirgelwch yn ymguddio yn ei lais.

'Agor? Ia?'

Edrychais i'w wyneb llydan ac i'w lygaid ffeind. Roedd y bocs yn ei law. Estynnodd ei fawd mawr at fachyn. Yn sydyn dyma'r caead yn agor. Neidiais yn fy ôl a gweld y jac hyll yn crynu o'm blaen. Chwarddodd fy nhad nes bod y dagrau yn llifo o'i lygaid.

'Wnest ti ddychryn? Do?' gofynnodd yn ei hen lais mawr. 'Jac yn y bocs, yli.'

'Eto!' meddwn innau.

Ac eto fu hi lawer gwaith. Yna ar fy mhen fy hun o flaen y tân ceisiais innau agor y bocs. Doedd dim yn tycio; er trio a thrio, ddôi'r jac ddim allan o'r bocs i mi. Roedd ganddo ei bersonoliaeth arbennig ei hun. Yr adeg honno roedd gan bopeth ei bersonoliaeth ei hun, pob dol a chadair, y soffa, y grisiau, a'r diferion glaw ar y ffenestr; a dyma hwn, y jac yn y bocs yma rŵan. Funud ynghynt dyna lle'r oedd o'n gwneud ei gampau a rŵan yn pwdu efo mi. Procer amdani. Fe gâi o weld. Daeth i'r golwg, o, do, a'i wyneb yn wên i gyd — am dipyn bach. Arno fo yr oedd y bai. Daeth eisiau crio arnaf, nid yn gymaint am ei fod wedi malu ond am iddo fod mor wirion o ystyfnig efo mi. Profais y dagrau ar fy ngwefusau.

'Nid fel yna mae hogan bump oed i fod i fyhafio,' bloeddiodd Nain a'i hwyneb yn goch. Cododd fi i fyny gerfydd fy mraich efo un llaw ac â'r llaw arall rhoddodd ddychryn calon i mi. Fy nghluniau i oedd yn llosgi wedyn. Ddywedodd fy nhad ddim byd. Llosgai fy llygaid. Fedrwn i mo'i weld yn glir. Pan ddaeth o i'r golwg edrychai fel pe bai wedi cael slap yn ei wyneb. Gafaelodd yn y darnau a cheisio eu rhoi yn ôl wrth ei gilydd. Aeth popeth yn llonydd, llonydd o flaen fy llygaid, atgofion o fyd llonydd sy'n magu craith. Gwelwn y jac penddu, y sbring a darnau o'r bocs; roedden nhw'n nacáu symud yn ôl at ei gilydd er cymaint y dymunwn i hynny. Roedd arnaf eisiau mynd at fy nhad a dweud: 'Roeddwn i'n licio'r jac yn ofnadwy', ond fedrwn i ddim.

Daethai fy ninistr arnaf mor sydyn. Ddechrau'r pnawn nid oedd modd i mi rag-weld y buaswn yn lladd yr hyn a garwn. A phetaswn i wedi ei rag-weld, a fyddwn i wedi ei atal?

Casglodd fy nhad y tameidiau at ei gilydd.

'Mi cadwa i nhw,' meddai. 'Ella y medra i 'i drwsio fo yr wythnos nesa.' Yna aeth allan. Welais i mohono fo wedyn. Fe ddiflannodd oddi ar wyneb y ddaear, ond roedd ei ddillad o'n dal i hongian ar gefn drws ei lofft o. Bu'r jac drylliedig yn y twll dan grisiau nes i Nain ryw ddiwrnod ei nôl o a'i roi o ar y tân.

'Dwi isio ei drwsio fo,' meddwn i.

Ni ddywedodd hi ddim, ond gwyddwn wrth edrych ar ei bochau llipa ac ar ei llygaid araf nad oedd wiw i mi ailofyn. Fflamiodd pren y bocs yn y tân ac edrychodd hithau arno nes ei fod wedi llosgi'n llwyr. Poethai fy wyneb wrth i mi ei wylio'n troi'n lludw.

Cael ei ladd yn y chwarel a wnaeth fy nhad — ei gôt o'n mynd i'r olwyn. Does dim gobaith i neb sy'n cael ei wasgu felly. Yn ddiweddarach y dois i i wybod hynny. Mae yna ambell ddarn o wybodaeth yn dod i ni yn rhy ddiweddar i wneud unrhyw wahaniaeth. Erbyn y down ni i wybod y ffeithiau, bydd y teimlad wedi fferru a'r agwedd wedi ei phennu. Aethai 'Nhad allan trwy'r drws heb edrych arnaf. Yn fy nhempar fe'i brifais ac ni ddaeth yn ei ôl. Ysgydwais y brigyn a thybio fod y byd yn crynu.

Y diwrnod y cafodd fy nhad ei ladd roedd yna lawer o bobl o gwmpas y tŷ. Er hynny, y distawrwydd a gofiaf i. Cawn sylw gan bawb, ac eto yr oedd y drws yn cael ei gau yn fy wyneb. Cefais fy nanfon i chwarae i dŷ Bethan ac yno y cysgais i hefyd. Hapusrwydd y dyddiau hynny a gofiaf i ac eto yr oedd arnaf eisiau crio am rywbeth, ond wyddwn i ddim am beth. Dôi teimlad o golled drist heibio i mi, yn enwedig pan ddôi tad Bethan adref o'i waith a phan fyddwn yn dweud fy mhader cyn cysgu.

Y noson olaf i mi gysgu yn nhŷ Bethan y torrodd y storm arnaf. Machludai'r haul y tu ôl i'r mynyddoedd mawr nes eu bwrw i'r cysgod. Ar yr adeg yma o'r dydd mae crib pob clogwyn sydd rhyngom a'r mynyddoedd i'w gweld yn glir. Llifai pelydrau haul Medi rhwng y cribau. O dŷ Bethan gallwn weld yr arch yn aur i gyd yn y machlud a dau ddyn yn eu du yn ei chario i'n tŷ ni. Dau ddyn yn brysur yn y distawrwydd. Gallwn eu gweld yn blaen o dŷ Bethan. Roedd rhywbeth ar droed yn fan'cw a minnau heb fod yn rhan ohono.

Ni allai Bethan ddeall fy nicter yn malu ein tŷ bach. Roedd o mewn cornel yng nghesail y tŷ, rhedyn yn llawr iddo a rhesi o gerrig yn waliau. Hwn oedd y tŷ bach gorau a gawsem erioed. Heddiw yr oedd mam Bethan wedi gadael i ni gael tebot a llestri o'r tŷ, ac wedi estyn bocs i ni wneud bwrdd a dwy stôl i eistedd arnynt. Heddiw yr oeddem wedi cael benthyg het ac esgidiau. Cawsai Bethan afael ar botyn bach a'i osod ar y bwrdd a thusw o flodau ynddo. Pan oeddem ar ganol yr hwyl gwelais yr arch. Sefais yn edrych arni, yna maluriais y tŷ bach.

Lluchiais y cerrig, eu lluchio at unrhyw beth. Trewais y pot blodau nes ei fod yn chwilfriw. Canai'r tebot yntau wrth iddo drybowndian yn erbyn y wal. Safai Bethan a'i dwylo am ei hwyneb. O'r diwedd, sefais innau, troi fy wyneb oddi wrth y gyflafan a mynd i waelod yr ardd i grio. Roeddwn i'n licio'r tŷ bach hefyd, y gorau a gafwyd erioed.

Nos drannoeth cefais fynd adref at Nain. Tŷ gwag iawn oedd yno. Danfonodd Nain fi i'r gwely, wedi fy molchi a rhoi coban lân i mi. Taenodd y dillad gwely'n daclus dros fy nghoesau i'm gwneud yn glyd. Gwyddai sut i'm plesio. Daethai â brechdan siwgr a chwpanaid o lefrith i mi. Doedd dim yn well gen i na theimlo'r siwgr yn crensian dan fy nannedd ac yn cymysgu efo'r menyn cyn i mi ei olchi i lawr efo'r llefrith tew. Eisteddodd Nain ar y gadair, a'r distawrwydd yn llifo ohoni ac yn lapio amdanaf. Edrychais o'm cwmpas ar y blodau bach pinc ar y papur wal. O'm gwely hefyd gwelwn yr awyr trwy'r ffenestr bedair cwarel ac ymyl y cymylau yn felyn a choch.

'Mi awn ni efo'n gilydd i Landudno wsnos nesa,' meddai hi. 'Mi awn ni efo'r trên trwy'r Twnnel Mawr. Mi gei di ffrog a sgidia newydd ac wedyn mi awn ni am de a tsips.'

'Isio Dad ydw i.' Roedd y frawddeg wedi dod i'r wyneb fel llwch lludw mewn pwcedaid o ddŵr.

Gyda'r straeon a'r rhesymau arferol ceisiai Nain roi ar ddeall i mi na ddôi o'n ei ôl. Ni allai fy nghalon beidio â theimlo nad oedd rhyw annhegwch mawr wedi bod, a minnau yn rhan o'r cynllwyn, yn rhan ohono am byth.

Duodd y cymylau yn yr awyr. Caeodd Nain y llenni, rhoddodd sws i mi a mynd trwy'r drws. Clywn dipiadau'r cloc yn dod i fyny'r grisiau. Daeth gwynt i'r coed o gwmpas y tŷ, ac o'r clogwyn daeth hwtian tylluan. Tu draw i'r clogwyn ymestynnai'r mynydd diddiwedd, a thrwy'r mynydd âi'r Twnnel Mawr. Yn rhywle ym mhen arall y Twnnel yr oedd Llandudno. Wrth feddwl am hynny daeth cwsg. Lapiodd amdanaf fel gwe pry copyn am wybedyn gan orchuddio am y tro y patrwm a oedd wedi'i wau y dyddiau hynny.

Briw ar Goeden

'Ydach chi wedi gorffen, Eirlys?' gofynnodd Sbargo i mi.

'Do,' meddwn innau gan estyn fy mhapur arholiad iddo. Fi oedd yr unig un ar ôl yn y neuadd fawr.

'Sut hwyl gawsoch chi?'

'Dwn i ddim.'

Cododd un ael anghrediniol arnaf a rhoi fy mhapur mewn amlen. 'Mi gewch anghofio amdano fo rŵan.' Ymlwybrais at y drws rhwng rhesi o ddesgiau gwag. Caeais y drws ar fy ôl a cherdded ar fy mhen fy hun ar hyd y cyntedd. Gadewais fy llyfrau ar y bwrdd lle'r oeddynt i fod. Roeddwn i wedi gorffen efo'r llyfrau am fod yr arholiad olaf ar ben a minnau yn cerdded allan trwy ddrws yr ysgol am y tro olaf.

Tu allan roedd hi'n haul tanbaid. Cerddais trwy'r dref i lawr i gyfeiriad y pentref a'r bedol o fynyddoedd a warchodai'r dref yn gofalu na ddôi awel i oeri fy wyneb. Crynai'r tomenni rwbel yn y gwres. Yr unig symudiad arall oedd bws y bobl ddiarth a ddolennai'n araf i fyny'r mynydd tua'r argae. Llonyddwch a orffwysai ar y mynyddoedd melyn o'm cwmpas; 'run aderyn yn canu a'r defaid yn llechu rhwng y brwyn ac yng nghysgod y cloddiau cerrig. Roedd yr awyr mor boeth a thrymaidd nes y teimlwn fy mod yn gorfod torri fy ffordd trwyddi. Cerdded ymlaen fyddai fy hanes am byth. Nid oedd pen i'm taith.

Nid fel hyn yr oeddwn i wedi dychmygu fy niwrnod olaf yn yr ysgol. Teimlwn mor wag â'r bag a gariwn ar fy nghefn.

'Mi gewch anghofio!' oedd geiriau Sbargo. Dyna'r drwg, allwn i ddim anghofio. Roedd fy ngorffennol wedi hel fel ffroth o flaen y gwynt ar wyneb llyn. Er fy mod wedi gorffen nid oeddwn wedi cwblhau. Amherffaith oedd f'atebion yn yr arholiadau a theimlwn yn awr wrth gerdded adref fod fy mywyd yn anghyflawn ac yn fethiant.

Aethai bywyd i gyd yn un arholiad i mi. Ieuenctid o gasglu ffeithiau a gefais i, hel marblen at farblen nes y byddai fy mhen yn drwm. Yna, arholiadau mewn ystafelloedd mawr i gyfri'r marblis. Byddai hunllefau nos yn fy neffro, bob amser mewn arholiad a'm llaw yn analluog i sgwennu'r hyn oedd yn fy meddwl. Heddiw yr oedd yr arholiadau drosodd, a beth oedd diben y trylwyredd a'r holl ymgyrraedd at berffeithrwydd? Oni fuasai'n well pe bawn wedi gwrthryfela a mynd a'm ffrwyn ar fy ngwar? Roeddwn i wedi ceisio gwneud hynny hefyd, lluchio fy llyfrau o'r golwg i'r cwpwrdd a chael wythnos o wrando ar recordiau ac o ddarllen nofelau budron. 'Gweithia er fy mwyn i, Eirlys,' crefai Nain. 'Os na wnei di er fy mwyn i, gwna er mwyn dy dad.' Doedd fy nhad ddim yn bod. Roedd o wedi'i ladd yn y chwarel. Eto, roedd o yno fel ofn gwrthryfel, ac yn waeth, ofn y dinistr a ddôi yn sgîl gwrthryfel, ofn mynd dros y top. Brwydr yn erbyn ofn ac euogrwydd oedd fy mrwydr i, nid yn erbyn ffeithiau academaidd. Y cymhlethdod diarwybod hwn oedd yn fy nghlymu ac yn peri i mi golli fy mrwydrau.

'Sut hwyl gawsoch chi?' oedd cwestiwn Sbargo.

'Dwn i ddim,' oedd fy ateb innau. Dyna'r gwir — wyddwn i ddim. Roedd y pethau *na* wyddwn yn bwysicach i mi na'r hyn a wyddwn.

Wrth i mi ymlwybro ymlaen glynai fy nillad yn fy nghroen. Aethai fy sgert yn rhy fach i mi, gan ddangos gormod ar fy nghluniau. Nid oedd yn werth i mi gael sgert newydd a minnau ar fy mlwyddyn olaf, meddai Nain. Ni theimlwn innau y gallwn hawlio dim ganddi. Felly bodloni ar fy hen sgert wnes i er fy mod i'n gwybod ei bod yn amlygu bochau fy mhen-ôl. Byddai'r hogiau yn edrych arnaf wedi i mi eu pasio, a'r athrawon yn fy llygadu hefyd. Roeddwn i'n ymwybodol o'm corff newydd, yn gymaint felly nes fy mod weithiau'n cerdded fel cath trwy'r eira wrth fethu gwybod sut i roi fy nhroed ar lawr. Daethai ansicrwydd i mi o rywle, ofn dweud gair o'i le, ofn yr anap a fyddai'n llechu, yn disgwyl amdanaf. Roedd pethau cuddiedig yn gruglwyth fel nadroedd yn barod amdanaf. Deuwn ar draws teimladau dieithr a godai'n fflach o ddisgwyliad yn fy nghorff. Disgwyliad a oedd yn bleser ac yn artaith mor hir â'r ffordd faith o'm blaen.

Draw ar y mynydd gwelwn yr afon yn powlio'n llonydd dros y cerrig. Ni chlywswn sŵn y dŵr nes dod at y bont lle'r oedd y coed a dyfai o bobtu'r afon yn bargodi'r ffordd. Sefais ar y bont yn pwyso 'nghluniau ar y cerrig oer, a syllu o'm blaen ar yr afon ddisglair yn troelli trwy'r cae. Roedd ei sŵn grisialaidd di-baid yn fy ngolchi, nes erydu rhyw ychydig ar f'euogrwydd. Yma, yng nghysgod y coed gwyrdd daeth newid trosof. Gallwn anadlu'n fwy rhydd wedi canfod twll yn y flanced boeth a orffwysai ar yr holl wlad. Yn sydyn, teimlwn nad oeddwn ar fy mhen fy hun. Daeth rhywbeth drosof yr un fath â'r tro hwnnw pan gerddwn trwy'r gwair. Y tro hwnnw ni allwn wneud dim ond sefyll a'm dau droed wedi glynu yn y ddaear heb fedru symud yn ôl nac ymlaen. Yna, daeth hisian a siffrwd o'r gwair dan fy nhraed a gwelais y wiber yn dolennu trwy'r tyfiant o'm golwg. Mi es i'n hollol stiff, a bysedd fy llaw wedi agor led y pen fel gwyntyll.

Roedd rhywun heblaw fi yn y werddon hon. Cawn fy ngwylio; roeddwn yn sicr o hynny. Roedd presenoldeb yma a oedd yn dileu f'unigrwydd hir. Chwiliais â'm llygaid o dan y bont, ond heb weld neb, ac yna rhwng boncyffion y coed, ond doedd neb yno ychwaith. Edrychais i fyny i ganghennau'r coed. Saethodd ias trwof wrth i mi weld wyneb rhwng y dail a phâr o lygaid disglair yn fy ngwylio, wyneb bachgen yn gwenu'n braf arnaf o ben y goeden.

'Wnest ti ddychryn?' gofynnodd.

Fe'i cofiwn yn yr ysgol er ei fod ddwy neu dair blynedd yn hŷn na mi. Cofiwn yn arbennig ei wddf nerthol a'i ben aflonydd a'i arferiad o blycio'i ben ac edrych i'r ochr am yn hir fel petai'n chwilio am rywbeth.

'Be wyt ti'n neud yn fan'na?' gofynnais.

'Cerfio f'enw.' Plyciodd ei ben draw ac ychwanegu, 'Yn fa'ma'. Ar y boncyff roedd D.D. glân wedi'u cerfio.

'Donald Duck,' meddwn innau'n gellweirus.

'Donald Davies,' meddai yntau'n ffroenuchel. 'Don i fy ffrindiau.'

Trodd ei wegil llydan ataf a gwasgu ei ysgwydd yn erbyn y boncyff i orffen ei waith. Roedd ei grys-T glas yn dynn am ei ysgwyddau llydain. Mor ddi-feind yr oedd o, meddyliais. Roedd o fel aderyn mawr yn y goeden, yn gwylio'r wlad o'i eisteddle uchel gan falio dim am rai fel fi a'm poen.

'Dyna fo,' meddai. 'Mi fagith graith ddel. Mi fydd rhywun yn ei ddarllen o ryw ddiwrnod ac yn meddwl pwy ddiawl fu'n ei sgwennu o.'

'Ydach chi am roi'r flwyddyn?' Ni chymerodd arno ei fod wedi clywed fy nghwestiwn, ond curodd y boncyff â'i gyllell fain a phwyntio at enw rhywun a oedd wedi'i dorri flynyddoedd maith yn ôl.

'A.W. Prin y medra i 'i ddarllen o. Y goeden wrth fendio wedi chwalu'i enw fo. Erbyn heddiw ŵyr neb pwy ydi o, na dim byd amdano fo. Hogyn yn gwneud dryga hyd y lle yma, a rŵan dyma'r goeden yn mendio ar ei ôl o.'

Caeodd ei gyllell. Llithrodd oddi ar y gangen a dechrau cerdded a'i ddwylo ar hyd-ddi. Roedd siffrwd y dail fel sŵn cawod o law. Gwelwn ei gorff yn fwa tynn yn nesu tuag ataf, a theimlais ias o gynnwrf wrth weld croen ei fol tywyll blewog. Ffitiai ei drywsus denim amdano'n dynn gan ddangos dirgelwch ei gorff.

Plygai'r gangen i lawr o dan ei bwysau. Yna, pan ddaeth yn ddigon agos neidiodd yn daclus ar ben wal y bont a moesymgrymu o'm blaen. Eisteddodd ar y wal ond ni chadwai'n llonydd wedyn. Gwibiai ei ben o ochr i ochr a'i lygaid mawr brown yn chwilio, chwilio. Teimlais nhw'n chwilio fy nghorff innau.

'Peth rhyfedd i' neud. Mynd i ben y goeden yna,' meddwn i wrtho.

'Does yna ddim i' neud nac oes? Dim job. Dim byd.'

Ia, meddyliais. Beth oedd yna allan yn fan'cw? Gwres. Mynyddoedd melyn. Rhesymeg. Cwestiynau. Cynllwynion. Yma o dan y coed roedd dau anobaith. A oedd modd i ddau anobaith wneud un gobaith? A oedd yma resymeg felly?

'Bag ysgol! Blydi llyfra!' Gafaelodd yn fy mag a dechrau ei agor yn ddigywilydd fel hogyn bach.

'Gas gin i blydi llyfra.' Fuaswn i ddim wedi synnu ei weld yn taflu'r bag dros ymyl y bont i'r afon. Teimlwn fod ei gasineb yn fy nghynnwys innau hefyd.

'Blydi ysgol!' meddai wedyn. 'Wnaethon nhw ddim i mi yno. Fedrwn i ddim darllen. Dyslecsia ydi'r enw crand. Yn y gornel a 'mhen at y wal y byddwn i.'

Yr un oedd ei broblem o a finnau. Graddau o wahaniaeth yn unig oedd rhyngom ni'n dau.

'Beth wyt ti'n ei wybod tybed?' gofynnodd ag ystum henaidd. Gafaelodd yn yr unig lyfr oedd ar ôl yn fy mag a chymryd arno ei fod yn darllen o'r llyfr ac yn rhoi prawf arnaf.

'Be ydi'r gair Cymraeg am *elephant?*' gofynnodd yn ddramatig.

'Eliffant.'

'Rong. Cawrfil, yli,' meddai heb wên o gwbl. 'Be ydi'r gair Cymraeg am adferteisio?'

'Hysbysebu.'

'Rong. Dydi adferteisio ddim yn Gymraeg na Sæsneg.'

Cleciodd ei wefusau'n bwysig.

'Be ydi. . .' Arhosodd yn ddistaw am eiliad. Gogwyddodd un glust tua'r ddaear ac edrych i fyny i'm hwyneb. Erbyn hyn roedd ei lygaid wedi peidio â gwibio, ac roedd ei ffroenau wedi agor. Methwn gael fy ngwynt. Teimlais fy hun yn llond fy mlows.

'Be ydi . . . *sexual intercourse* yn Gymraeg?'

'Cyfathrach rywiol,' meddwn i mor hunanfeddiannol ag y medrwn.

''Run peth ydi o ym mhob iaith, yli,' meddai cyn sobred â sant.

Rhoddodd y llyfr yn ôl yn y bag.

'Dim allan o ddeg! Methu. Be sgin ti i' ddeud?' Llygadodd fy nhraed a chodi ei olygon i fyny fy nghoesau, fy nghluniau a'm corff nes gorffwys ei olygon ar fy llygaid.

'Dim, syr.'

'Gei di eistedd ar lin syr 'ta.' Cyn i mi fedru symud roedd o wedi gafael ynof a'm rhoi ar ei lin. Plygodd fi'n ôl a'm cusanu. Clywn sŵn diddiwedd y dŵr yn llifo'n ysgafn o dan y bont a gwelwn yr awyr las trwy'r dail uwch fy mhen.

'Deg allan o ddeg. Pa bryd y gwela i chdi eto?'

meddai mor sydyn â'r gwynt a'i ddwylo poethion ar fy nghluniau.

'Tyd i lawr i fan'na efo mi,' meddai a'i fraich yn tynhau amdanaf a'i ben yn cyfeirio at lan yr afon. Gwelwn y llannerch las o dan y coed. Roedd yna wahoddiad i mi gyflawni rhywbeth yr oeddwn wedi fy ngeni ar ei gyfer. Codais ar fy nhraed, a gwnaeth yntau'r un modd gan ddal ei afael yn fy llaw.

'Tyd,' meddai a'i wefusau yn fy nghlust a phledio diymadferth yn ei lais. Roedd croen ei fochau yn lân a'i lygaid yn ddau lyn llonydd wrth f'ochr. Cymerais fy nhywys ganddo gydag ymyl y bont at y fan lle'r oedd y llwybr yn arwain i lawr at lan yr afon. Camodd Don dros y gamfa a rhedeg i lawr y llwybr. Sefyll a wnes i a'm troed ar ris y gamfa yn teimlo'r haul anhrugarog ar fy nghefn. Diflannodd y swyn, a daeth oferedd y byd yn ôl i mi.

Safai Don a'i ddwy goes ar led a'i ddwylo yn gorffwys ar ei wasg. Syllodd i fyny ataf; ei lygaid yn gwibio o'm pen-lin i'm hwyneb. Wrth ei weld yn sefyll yno'n fuddugoliaethus ddisgwylgar cododd ynof awydd i'w frifo.

'Tyd yn dy flaen,' a'r brys yn ei lais yn rhedeg o flaen ei amynedd. 'Tyd o'na,' meddai wedyn. 'Be ydi dy blydi gêm di?'

Roedd o'n iawn. Gêm oedd hi. Gêm yn gwrthod dod i ben. Gêm a'i rheolau wedi eu gosod i lawr ymhell yn ôl. Er na wyddwn i'r rheolau, fedrwn i mo'u torri nhw. Cawn fwynhad wrth ei weld yn methu gwybod beth i'w wneud. Arno fo'r oedd y bai yn fy ngadael i ar y bont fel pelican. Byddai'n rhaid iddo fo ailgynnau'r tân rŵan. Roedd o wedi fy nghymryd i'n ganiataol. Fedrwn i ddim codi fy nhroed dros y gamfa i fynd ato. Ni wn ai f'urddas ynteu f'ofn a'm rhwystrai.

'Tyd,' meddai wedyn. 'Paid â meddwl y gelli di chwarae mig efo mi, y diawl bach.'

Roedd pob brawddeg o'i eiddo yn agor yr agendor yn fwy.

'Dydw i ddim am sefyll yma'n dy ddisgwyl di drwy'r pnawn.' Swniai ei lais yn derfynol. 'Mae gin i geffyl yn rhedeg am ddau.'

Hynny'n bwysicach na fi, meddyliais.

'Dos i'r diawl 'ta,' meddai.

Trodd ar ei sawdl ac i ffwrdd ag o gyda glan yr afon. Nid edrychodd yn ôl unwaith. Gwelwn ei ben yn troi i'r ochr a'i wddf yn ymestyn allan fel pe bai ei holl fodolaeth yn dibynnu ar iddo ddarganfod rhywbeth. Wrth loncio mynd roedd o'n chwibanu 'Dawel Nos'. Chwithig oedd gwrando ar nodau'r garol ar bnawn o haf poeth. 'Dawel nos, Sanctaidd yw'r nos . . . Cwsg mewn gwynfyd a hedd.'

Dechreuais gerdded tuag adref. O'm blaen roedd y creigiau ysgythrog a thu ôl iddynt hwythau y mynyddoedd llyfn. Brwydrais eto â'r gwres, ac ar ôl i mi ddringo'r llwybr at y tŷ edrychais ar y llonyddwch odanaf. Roedd y tir yn ymestyn o'r dref i lawr y dyffryn tua'r pentref. Gwelwn yr haul ar yr afon, a'r clwstwr coed a gysgodai'r bont. Mae o wedi gadael ei enw ar goeden yn fan'cw, meddyliais. Enw a oedd yn friw ar y goeden.

Yn yr Un Cwch

Wrth i mi nesu at y stryd, clywn sŵn plentyn yn crio. Doedd ganddo fo ddim hawl i grio heno, dim hawl i chwalu fy hapusrwydd. Fel yr agosawn clywn lais merch yn gweiddi, 'Cau dy geg yr uffar bach'.

Roedd y drws y dôi'r crio ohono yn agored i'r stryd, ond roedd pren ar draws y gwaelod yn rhwystro'r eneth rhag dod allan. Roedd y drws yn fudr a'r paent wedi ei grafu oddi arno. Edrychais ar y gwallt cyrliog coch, yr wyneb budr a'r dwylo bach yn gafael yn y pren ar draws.

Edrychodd hithau arnaf innau trwy lyn o ddagrau gan nadu'n ddolefus o waelod ei bol. Brysiais heibio, ond fe'i clywn hi am yn hir ar ôl i mi basio. Yn raddol âi'r gri yn wannach, wannach ar awyr y cyfnos. Yna tybiwn fy mod yn dal i'w chlywed wrth i mi gerdded yn frysiog trwy'r dref.

Nid oedd neb ar y stryd er ei bod yn noson braf; fel petai rhyw law fawr wedi ysgubo pawb o'r stryd a'i gadael mor amddifad â'r domen lechi a bwysai ar anadl y dref.

Dychrynais wrth i mi fynd heibio'r capel a oedd wedi cau. Wedi eu sgwennu mewn llythrennau breision roedd y geiriau: MAE LIL YN OK. Roedd y paent du wedi llifo o'r llythrennau fel sbeit hogiau cythreulig. Gallasai f'enw innau fod yno unrhyw ddiwrnod rŵan, meddyliais gydag ofn. Ofn beth? Doedd gen i ddim cywilydd, ac eto yr oedd gen i ofn y cyhoeddi a'r siarad a'r sbeit. Ie, y sbeit. Fe aeth rhywun ati'n fwriadol i chwilio am frwsh a phaent er mwyn cael hwyl a brifo. Rhaid eu bod yn gwybod sut i frifo.

Wrth nesu at gartref Don clywais weiddi cynhyrfus. Tybiais am eiliad mai sŵn crio a glywn ond yna gwelais y criw o gwmpas y ceir siabi yn neidio a chwerthin.

'Rydan ni'n mynd am bicnic i Llyn Bach,' meddai Lil yn llawn gorfoledd. Daeth Don ataf, rhoi ei law amdanaf a'm cusanu ar fy ngwefus, yn arwydd o groeso, ond hefyd yn stamp o'i hawl arnaf. Teimlais ei ymchwydd balch wrth f'ochr. Don oedd fy nhrwydded i i ymuno â'r giang. Hogan Don oeddwn i a chawn fy nerbyn gan rai na fyddai'n f'arddel yn yr ysgol am fy mod yn perthyn i rywogaeth y rhai llwyddiannus yn y fan honno.

I mewn i'r ceir â ni gan eistedd ar bennau ein gilydd fel sardîns mewn tun. Roedd tair ohonom yn barod yn y sedd ôl a dyma Benji bach yn neidio i mewn ar ein gliniau. Sgrechiai'r genod wrth i'w gorff caled anystyriol faglu trosom. Agorwyd y ffenestri, ac i ffwrdd â ni, a'r awel yn sychu aroglau'r baco a'r sent, y chwys a'r talc. Ond roedd yr aroglau'n dal yn gynnwrf yn fy ffroenau ar ôl i mi gyrraedd Llyn Bach.

Llyn a'r gweundir yn flanced o'i gwmpas yw Llyn Bach. Heno yr oedd o fel cylch o wydr yn sgleinio yng nghanol y gwair a phlu'r gweunydd, a'r awyr uwchben yn lân. Y peth cyntaf a welais ar ôl dod allan o'r car oedd y graean yn nŵr clir y llyn. Roeddem ni'n uchel yma uwchlaw crochan y dref, ac aroglau rhyddid o'n cwmpas. Cyn pen dim, roedd y criw i gyd allan o'r ceir a phawb yn ymrwyfo trwy'i gilydd wrth ymestyn am y caniau cwrw.

Benji oedd yr arweinydd. Safai o'r neilltu yn edrych arnom; yn ei law, carrai ledr a lwmp o blwm wedi'i rwymo ar ei phen. Troai'r plwm yn yr awyr gan lapio a dadlapio'r garrai am ei fys. Edrychai ei wyneb ugain oed yn hen a chreithiog ac yr oedd ei gorff bychan eisoes yn dechrau crymu. Gwatwareg a dim arall a glywid yn ei chwerthin gyddfol. Un i'w ofni oedd o. Ni wyddech pa gythreuldeb newydd y gallai feddwl amdano. Roedd Al yno, hefyd, yn dal, a dylni yn ei lygaid tywyll. Y stori oedd iddo fod bron â marw pan berswadiwyd o gan yr hogiau i ddefnyddio nwy diffodd tân yn lle glud. Roedd Phil ysgafn ei gorff yno, a stwmp ei sigarét yn tynnu dŵr o'i lygaid glas, slei. Cofiaf nerfusrwydd ei wyneb llwyd a ddatguddiai i mi ryw naddu cudd. Fo, medden nhw, a wnaeth ei fusnes y tu allan i ddrws ystafell y Prifathro. Wrth f'ochr yr oedd Don, a distawrwydd ei gorff cydnerth yn fy nhyb i yn ennyn parch. Clywid chwerthin a bregliach y genethod yn datgan eu mwynhad.

Eisteddodd pawb i lawr ar y bryncyn bach ar fin y llyn. Dawnsiai'r gwybed yng nghysgod y graig a oedd yn y dŵr. Roedd gan bob un o'r cwmni ei gan cwrw i'w gadw'n ddiddig ac i roi iddo'r hyder angenrheidiol. Am funud roeddem yn saff o olwg y dref, a'i hawliau a'i chrio. Yma gyda'n gilydd caem y gorau arni.

'Wyt ti'n cofio Drwgi yn mynd i ben coeden ac yn agor ei gôt i drio fflio fel 'deryn?'

'Yn ei wely am wythnos!'

Clywid chwerthin gwatwarus Benji a gwelwn ei ddannedd melyn bron yn unlliw â'i wallt crych. Chwarddai Don a'i ben wedi'i droi i edrych dros y dŵr a thosturi bach yn llechu yng nghornel ei wefus.

'Wyt ti'n cofio ni'n taflu sment gwlyb dros gar Sbargo?'

'Am ei fod o wedi rhoi clustan i Al.'

'Ia,' meddai Al, a boddhad yr atgof yn troi'n wên hir ar ei wyneb.

'A ninnau'n ei weld o'n crio wrth sbio arno fo wedi caledu ar y paent.'

'Wedyn yn taflu dŵr drosto fo.'

'A ninnau'n chwerthin y tu ôl i'r gwrych.'

'Doedd o ddim yn crio?' gofynnodd Lil.

'Oedd wir.'

'Bechod,' meddai hithau gan chwerthin.

Roedd rhywbeth rhydd, dilyffethair ynghylch y criw yma meddyliais. Hiraethwn am fod yr un fath fy hun.

'Mi gafodd o dafod iawn gan ei wraig.'

'Pwy? Sbargo?' meddai lleisiau anghrediniol.

'Ia, dweud wrtho fo'i fod o'n rhy fîn i fildio garej.'

Ymlaen ac ymlaen yr âi'r sgwrsio. Daeth bodlonrwydd mwyth drosof wrth i mi bwyso 'mhen ar glun Don. Daeth y ffags tenau allan o'r ffoil, ac aeth y mwg melys i'm ffroenau. Machludai'r haul, ond cyn iddo fynd o'r golwg daeth gwawr las drosto, a daeth glas fel glas y gaeaf i awyr y nos. Tyfu o'r dŵr a wnâi'r graig; roedd hi fel pe bai'n fyw o flaen fy llygaid. Gwelwn yn glir — y math o weld a oedd yn afael a theimlad.

Perthynai'r tlysni i *mi*, yn gymaint felly nes bod arnaf eisiau crio. Disgynnai'r gwybed ar wyneb y dŵr a dechreuodd y brithyll godi. Ynof *fi* y codai'r cylchau, fi oedd y llyn llyfn a chodai'r cylchau yma ac acw yn ddiddiwedd. Doedd dim modd gwybod lle byddai'r cylch nesaf yn codi.

'Wyt ti'n cofio Phil yn cachu o flaen drws yr *Head?* gofynnodd rhywun.

Daeth dicter i wyneb llwyd Phil, ond roedd euogrwydd yn llen dros ei lygaid.

'Nid fi wnaeth,' taerodd.

'Ia, chdi.' Daeth lleisiau sicr ar ei draws, a chwerthin gyddfol Benji yn ei ddiraddio i'r eithaf. Roedd y cywilydd yn Phil yn troi'n wylltineb.

'Ia, chdi,' meddai Benji a rhoi slap iddo ar ei glun efo'r belen blwm oedd ar flaen y garrai, nes bod Phil yn neidio. Roedd pry copyn mawr ar y borfa. Y nesaf peth roedd Benji ar ei hyd ar lawr yn ymladd â'r awyr wrth geisio taflu'r pry copyn a luchiodd Phil tuag ato i ffwrdd. O'r diwedd llwyddodd i'w daflu ar lawr. Roedd ofn lloerig yn ei lygaid wrth edrych arno. Sathrodd ei sawdl arno dro ar ôl tro a'i fathru o dan ei draed.

'Gas gin i nhw.' Daeth awgrym o wên faleisus i'w wefus pan welodd ddifa'r anghenfil. Yna ymdawelodd. Pa ofn ac euogrwydd a lechai y tu ôl i'w fombast dieflig? Roedd pawb wedi gweld, pawb wedi deall ac yn derbyn, fel petai cri wedi codi o'n gorffennol ni i gyd.

Agorodd rhywun ddrws un o'r ceir ac i'n clyw daeth sŵn canu ar y radio; rhythmau rhyddid a gobaith a'r drymiau'n gyfeiliant i'n gorymdeithio.

Torrwyd ar draws y cyfan gan Lil yn bloeddio dros y wlad.

'O!' meddai hi a'i dwylo ar ei hwyneb. 'Rydw i wedi colli fy nics.' Newydd sylweddoli'r oedd hi er ei bod wedi dychwelyd ers meitin.

Ni fu erioed y fath chwerthin. Rowliai'r hogiau ar eu hyd ar lawr, geg yng ngheg. Chwarddent nes bod eu cegau'n brifo a phoen yn eu boliau. Gorweddwn i ym mreichiau Don rhwng ei goesau. Plygodd yntau drosodd i'm cusanu, ac erbyn i mi ymryddhau roedd y chwerthin yn dechrau pallu.

'Dacw fo,' meddwn i.

Gwelwn y nics gwyn yn arnofio ar wyneb y dŵr yn ddisymud wedi'r brys a fu. Edrychodd pawb arnaf. Doedd gan yr hogan ddiarth ddim hawl i siarad.

'Beth am dy nics *di* 'ta?' gofynnodd Benji. Cyn i mi gael cyfle i wneud dim roedd o wedi agor sip fy jîns i'r gwaelod, a'm gwarth am eiliad yn sbarduno fy nicllonedd. Cyn iddo wneud dim arall roedd Don wedi rhoi hergwd iddo â'i droed. Aeth wyneb Benji yn wyn a chofiais fel y bu iddo fathru'r pry copyn o dan ei droed. Safai ar y llwybr odanom a her yn ei osgo.

'Tyd o'na 'ta, Don jiraff!' meddai.

Fi oedd yr estron a ddaethai â'r chwyn ar ei thraed i'r tir. Tynnodd Benji ei gyllell allan.

'Hei!' Daeth llais Phil o ben y bryncyn i dorri'r pelydrau o atgasedd a oedd rhwng y ddau. Ceisiai Phil farchogaeth dafad i lawr y bryncyn, ond baglodd honno nes bod y ddau yn rowlio i'r gwaelod a Phil yn dal ei afael ynddi yr holl ffordd.

'Hei! Beth am ei lladd hi?' meddai Al a'r wên fodlon yn dod i'w wefusau. Gwenodd gweflau Benji hefyd. Daeth rhyfeddod i'w lygaid a llonyddwch cam i'w wyneb.

'Dowch, hogia. Gafaelwch ynddi. Gosod ei phen hi fa'ma.'

Gosodwyd ei gwddf ar draws y ffos a arweiniai i'r llyn. Ceisiodd y ddafad symud, ond roedd gormod o bwysau yn ei dal i lawr. Brefodd unwaith a dwywaith yn llaes, a'i bref yn ddychryn ar awel y nos. Daeth cri gylfinir o'r gweundir i ddolefain ei dychryn am yn hir.

Brefodd y ddafad wedyn wrth i'r gyllell blannu yn ei gwddf a'i dorri. Cochodd y gwlân a llifodd y gwaed yn bistyll i ddŵr y ffos. Roedd aroglau gwaed yn yr awyr, ac yna aroglau nwyon wrth iddi golli rheolaeth ar ei choluddion. Llifai dŵr coch i lawr y ffos i'r llyn. Gollyngodd yr hogiau hi a chiciodd hithau ei thraed ôl yn ofer. Cyfogai Lil y cwrw ar y gwellt gerllaw. Roedd pawb arall yn ddistaw. Dôi'r nos yn nes dros y gweundir, a'r awel yn crwydro dros y llyn yn gyhuddiad i gyd, fel Duw'n chwilio am Adda yn yr ardd.

Ymystwyriodd rhywun ac aethom i'r car fel un gŵr tra bu Benji yn golchi ei ddwylo a'i gyllell yn nŵr y llyn. Rhoddais un cip arall ar y ddafad ar fy ffordd i'r car. Roedd ei gweflau'n chwerthin a'i thafod hi allan. Ni allwn mwyach edrych ar ei gwarth.

Aeth y car meddw â ni ar hyd y ffordd anwastad yn ôl tua'r dref. Roedd ofn wedi ein syfrdanu a dychryn wedi'n gyrru i gongl y cae fel defaid o flaen ci. Hiraethwn am gael bod ar fy mhen fy hun, ac eto gwyddwn mai'r un clwyf oedd arnom i gyd. Os oedd ymwared i ddod, roedd o i ddod i bawb yn ddiwahân, i'r criw i gyd, i'r rhain o'm cwmpas nad oeddwn i wedi eu hadnabod cyn hyn oherwydd snobeiddiwch academaidd. I'r *rhain* i gyd, meddwn i eto, i *ni* i gyd roeddwn i'n ei feddwl.

'Mi ddo i dy ddanfon di,' meddai Don.

'Well gin i fynd fy hun.'

Dod wnaeth o. Ar fy mhen fy hun y cerddwn i serch hynny, i lawr drwy'r dref heibio i'r tŷ lle gwelswn y fechan yn crio. Erbyn hynny, roedd y drws wedi'i gau a distawrwydd yn teyrnasu. Roedd golau i'w weld yn llofftydd rhai o'r tai. Oedd y bobl wedi mynd i'w gwelyau? Na, cuddio'r oedden nhw siŵr y tu ôl i'r llenni, yn ein gwylio ni. Pawb yn y dref yn gwybod, pob llygad yn edrych.

Hyd Yma

'Mae o ar ddrygiau.' Nain oedd yn siarad am Don. Eistedd gyferbyn â hi yn derbyn yr ergyd a wnawn i. Gan amlaf mynd dros fy mhen i a wnâi sgwrs Nain, ond heno aethai i waelod y cwdyn a chodi'r taflegryn yma o wybodaeth. Fe'i gollyngodd a chafodd ei ddenu a'i dywys yn ddi-feth at fy holl fodolaeth i.

Don oedd fy holl fodolaeth i. Roedd o wedi agor byd newydd i mi, ac nid oeddwn yn fodlon cau'r drws ar y byd hwnnw. Roedd byd a phobl Don yn wahanol i rai Nain. Pobl blaen oedd pobl Nain, pobl glên oedd wedi cael ychydig, ar ôl bod heb ddim, ac am gadw'r hyn a gawsent. Cael a gwario heb feddwl a wnâi pobl Don ac roedd ganddo straeon di-ri amdanynt. Roedd ei wefusau bob amser yn fyw a'r swildod hunandosturiol hwnnw ynddynt. Rwy'n siŵr mai gwefusau felly a wnâi pan gâi ei hel i'r gongl ers talwm ar ôl methu darllen. Credaf mai'r esgymuno hwn a'm denai i. Don hefyd a'm harweiniodd i i wledd bywyd. Doeddwn i ddim yn fodlon fforffedu hynny, waeth beth a ddywedai Nain.

'I be wyt ti'n meddwl rydw i wedi dy fagu di am yr holl flynyddoedd?' gofynnodd a fflach yn ei llygaid.

Welwn i ddim beth oedd a wnelo hynny â fi. Fi oeddwn i. Welwn i mo'r llinynnau a fuasai'n symud y pyped dros yr holl flynyddoedd. Doedd a wnelo'r magu yn y gorffennol ddim â'r hyn oedd yn digwydd i mi heddiw.

Wrth iddi siarad sylwais ar y bwyd oedd wedi hel ar ei dannedd gosod. Roedd hi wedi cael ei bywyd, meddyliais. Dannedd benthyg oedd ganddi a benthyg oedd ei gwallt melyn a'i holl ddyfeisiadau i'w gwneud ei hun yn ifanc. Twyll oedd y cyfan ac roedd yn gas gen i dwyll.

'Deud er dy les di'r ydw i.' Doedd hynny ddim yn wir ychwaith. Poeni amdani ei hun yr oedd hi. Nid atebais hi'n ôl. Mae yna rai hawliau sydd mor sylfaenol fel na ellwch ddadlau yn eu cylch.

'Rydw i wedi gweld rhai mor larts â chditha, a fedra i mo'u hanghofio nhw. Petaet ti'n mynd efo rhywun desant yn y lle yma, ac nid yr hen fochyn yna.'

'Wyddoch chi ddim . . .' dechreuais.

'Gwn, mi wn i heb fynd trwy'r drws yna. Mi wn i be ydi'i negas o efo chdi.'

'Dydach chi ddim yn deg.'

'Meddwl be ddaw ohono chdi, hogan. Mae yna rywun gwell na hwn ar dy gyfar di.'

'Does arna i ddim isio neb gwell.'

'Paid â siarad. Beth am y drygiau yma?' Erbyn hyn gwaeddai yn fy wyneb. Aethai'n goch i gyd.

Ni allwn oddef edrych arni. Roedd hi'n fy nychryn. Edrychais trwy'r drws ar y ddau lwyn yn yr ardd fach. Cefais fy hun yn codi ac yn mynd allan trwy'r drws; y nerth a oedd ar yr un pryd yn wendid yn fy ngyrru allan i'r awyr agored.

'Eirlys! Aros! Aros er fy mwyn i. Aros er mwyn dy dad. Mi ddifari di ryw ddiwrnod!'

Aethwn yn rhy bell i droi'n ôl. Canai ei geiriau yn fy mhen: 'Mi ddifari di ryw ddiwrnod'. Ryw ddiwrnod. Doedd dim modd difaru am yr hyn oedd heb fod.

Cymerais y llwybr oedd yn arwain i fyny i'r hen chwarel. Buasai'r haul ar y tomenni trwy'r dydd ac yn awr wedi i'r haul fynd o'r golwg roeddynt fel rheiddiadur mawr yn poethi'r awyr. Cerddwn innau i mewn i'r gwres unig. O dan fy nhraed canai'r mân lechi wrth i mi yn fy mrys lithro trostynt. Roedd caledwch miniog y cerrig dan fy nhraed yn fy ngwneud innau'n agored i fryntni'r chwarel. Prin y cyffyrddai fy sodlau â'r llechi sychion fel pe bawn yn ofni i wewyr y chwarel drydanu fy nghorff. Yma yn y chwarel y cawsai fy nhad ei ladd. Yr un boen oedd yn fy nghorff â'r rhwygo a fu'n gyrru'r gweithwyr i gloddio a dyrnu'r graig. Yr un oedd eu dicter at y graig â'm dicter innau yn awr. Yr hyn oedd raid a wnaent, a'r hyn oedd raid a wnawn innau wrth gerdded i'r chwarel i gyfarfod fy nghariad. Yn fy nicter, dianc a wnawn oddi wrth f'euogrwydd ac eto dianc a wnawn i'r union fan lle y ffynnai.

Roeddwn yn falch o gyrraedd y gwastad lle'r oedd y sied. Nid oedd ar ôl ohoni ond ysgerbwd y waliau a'r cen yn tyfu'n batrymau dros y cerrig. Cerddais dros y mwsog at adfeilion yr hen furddun mawr.

'Don!' meddwn i'n uchel. Ai fy llais i oedd hwnna? 'Don! Don!' yn ysgubo trwy'r bylchau lle bu'r ffenestri ac yn diflannu yn y tomenni rwbel. Yna'r distawrwydd drachefn. Roedd dwy ohonom yma. Roedd un wedi gyrru fy nghymalau trwy'r gwres i chwilio am fy nghariad ac i floeddio 'Don'. Edifarhâi'r llall ei bod wedi codi o'r tŷ i gerdded y llwybr ofer hwn i unigrwydd y chwarel, ac i'r honglad yma o sied a'r nos yn sleifio ohoni trwy dyllau'r ffenestri. Nain oedd yn iawn: roeddwn i wedi mentro'n rhy bell, fel oen wedi torri trwy'r ffens yn methu ffeindio'r twll yn ôl i'r cae at ei fam. Brifo pawb on'd wyt? Dyna dy remp di meddai un wrth y llall, tra taerai'r llall ei diniweidrwydd wrth y cerrig; dim ond yr hyn oedd raid ei wneud a wnâi.

Torrodd cri tylluan o ben y domen. Edrychais i fyny a gweld siliwét Don yn codi ei ddwy fraich i'r awyr, yn ddyn ac yn dduw i chwalu f'amheuon. Codais fy llaw arno ac aros iddo ddod i lawr ataf; roedd lonc ddihidio ei gerddediad yn ddirgelwch o'i gylch. Gwelwn awgrym o ddioddefaint yn y modd yr ymestynnai ei wddf cyn troi ei ben draw.

Yr un dillad oedd amdano bob tro, y crys-T glas a'r trywsus denim tynn. Wrth iddo lapio ei freichiau amdanaf daeth aroglau dynol o'i ddillad a'i gorff. Chwythodd yr aroglau i lawr yn gryndod trwy fy nghorff. Ond heno roedd arnaf eisiau amser i feddwl. Doedd ganddo yntau ddim amser.

'Paid,' meddwn i. 'Tyrd i eistedd i fa'ma.' Tynnais ef i eistedd ar sil ffenestr yr hen sied.

'Rydw i'n poeni,' meddwn i, 'rydw i'n poeni am y pot.'

'Dydw i ddim.'

'Mae pobl yn gwybod.'

'Pwy?'

'Nain.'

'*So what?*'

'Faswn i'n licio tasat ti'n peidio.'

'Mae hi'n iawn arnat ti'n tydi? Mi fyddi di'n mynd o'ma. Mae gin ti rywbeth. Does gin i ddim byd. Dim ond y blydi lle yna i lawr yn fan'cw.' Cyfeiriodd at y dref â'i ben. 'Mi gei di dy goleg, 'n cei? Felly paid â deud dim wrtha i'r diawl.'

Eisteddai ar sil y ffenestr fel cawr wedi pwdu, gan bigo'r mwsogl rhwng y cerrig. Roedd briw yn ei lygaid ac ymglywais â'r gwrthryfel a lerciai yng nghilfachau ei frawddegau.

Llithrais rhwng ei gluniau ac anwesu ei ben ar fy mron. Byddai'n siŵr o gael ei frifo, nid oedd dim sicrach. Gwahoddai ergyd fel y gwnâi cwningen wedi ei pharlysu. Fedrai rhywun ddim peidio â'i frifo yntau. Fe'm hatgoffai o'r bachgen hwnnw a welais yn cerdded o'r ysgol dan grio. Câi ei guro gan yr hogiau nes bod eu dyrnodiau ar ei gefn yn atsain yn ei grochlefain. Doeddwn i ddim yn siŵr ai er mwyn iddo grio'n waeth ynteu er mwyn iddo beidio y gwnaent hynny. Teimlwn fel gafael ynddo a dweud, 'Hitia befo. Rydw i'n dy licio di.'

Wrth i mi amddiffyn Don â'm breichiau yn awr, teimlwn nad oedd yn ymddiried ynof.

'Fyddi di ddim ofn?' gofynnais.

'Ofn slobs?' Cododd ei ben ac edrych ar y tir gwastad o flaen y sied. ''Run peth ydi pob dim. Yntê? Be ydi'r blydi ots.'

Nid dewrder ond anobaith oedd yma. Roeddwn i'n teimlo fy mod i mewn breuddwyd lle'r oedd popeth yn fwy gwir na ffaith.

'Mi fydda i'n deffro weithiau ganol nos,' meddwn i'n ôl wrtho. 'Deffro'n sydyn heb ddim rheswm ac yn fyw o flaen fy wyneb i mae'r holl bethau gwirion rydw i wedi'u gneud.'

'Be?'

'Dwn i ddim,' meddwn i, 'petha gwirion wedi'u deud. Petha sâl wedi'u gneud.'

'Ia,' meddai a'i lygaid yn syn. 'A phob dim fel wy ar lawr wedi malu.'

Chwarddais. Chwarddodd yntau.

'Ewadd!' meddai. 'Fel yna'r oeddwn i'n teimlo ar ôl methu darllen i Miss Pritchard. Mi fydda hitha'n gweiddi arna i fel petasa'r peth yn bwysig. Doedd o ddim yn bwysig yn nac oedd? Mwya' pwysig y gwnâi hi'r peth, llai pwysig roedd o'n mynd i mi.'

'Hen ast,' meddwn i.

'Methu darllen yr oeddwn i. Roeddwn i'n well na'r lleill am ddysgu a chofio, ond fedrwn i ddim darllen. Fel tasa Duw wedi gadael rhywbeth allan wrth neud fy mrêns i.'

Felly roedd terfyn wedi ei osod inni. Roedd rhai drysau wedi eu cau i ni am byth.

Gafaelodd amdanaf a'm harwain allan a'm rhoi ar y ddaear galed. Teimlwn fy nghorff fel deilen yn chwyrlïo mewn corwynt, yn uwch ac yn uwch â hi, a'r gwynt yn cau gadael iddi ddod i lawr. O'r diwedd cafodd gysgod. Disgynnodd yn ôl i'r ddaear.

Erbyn hyn roedd yr awyr yn duo ar fynyddoedd y dwyrain gyferbyn â ni. Roedd hi'n amser i ni fynd adref. Aethom law yn llaw a'n pennau i lawr. Toc daethom i olwg y dref oddi tanom a gwelsom fwg yn codi o ambell simnai, lle'r oedd rhywun, efallai, yn sâl. Wrth gerdded i lawr yn ôl, aem i'r tywyllwch. Newidiai gwedd y tir gyda phob cam fel pe bai'r düwch yn codi o'r llwybr dan ein traed. Cofiaf i mi deimlo ein bod ill dau yn llaw rhyw dynged. Roeddwn i wedi dod mor agos ato fo, ac yntau wedi ymddiried ochr dywyll ei fywyd i mi a minnau iddo yntau. Lapiai hyn yn ddiogelwch amdanom fel na allai dim ein niweidio. Byddai'n para am byth. Ond ar yr un pryd roedd brathiad yn dweud wrthyf y byddai fy mywyd i'n gorfod ymestyn yn ei flaen hebddo fo. Hyd yma yn unig, meddai rhywbeth. Er bod y ddwy elfen yma yn groes i'w gilydd, un yn sôn am barhad a'r llall am derfyn, teimlwn fy mod yn llaw tynged.

Daeth Don i'm danfon at y bont lle gwelais i o gyntaf.

'Paid â dod ymhellach,' meddwn i wrtho. 'Rhag ofn iddo fod yn anlwcus.' Cusanu. Ffarwelio.

Cyn mynd rownd y tro, edrychais yn fy ôl a chodi fy llaw arno. Cododd yntau ei ddwy law yn ôl arnaf. Yng ngolau'r lamp fe'i gwelwn fel gofotwr ar y lleuad ac fe'm trawyd â'r syniad ein bod yn fach iawn.

Wrth gerdded tua'r tŷ daeth y ffrae efo Nain yn ôl i mi fel cyllell. Gallai Nain ddadlau faint a fynnai, ni wnâi wahaniaeth i mi. Roeddwn i'n benderfynol o fod yn gefn i Don. Roedd arno fy angen i i'w amddiffyn. P'run bynnag, gyda Don yr oedd bywyd; crintach a digroeso oedd tŷ Nain i mi bellach. Yno'r oedd popeth yn hen — hen gadeiriau'n gwichian a hen glustogau ac ôl gwisgo arnynt. Aethai'r tŷ yn rhy fach i mi. Uwch fy mhen roedd y sêr a oedd yn fwy unol â'm teimladau i, a gwahoddai aruthredd cant yr awyr fi i'r di-ben-draw.

Pan ddeuthum i olwg y tŷ sylwais fod golau ym mhob ffenestr. Nid un i wastraffu trydan oedd Nain. Doedd neb yn y gegin, ond o'r llofft deuai lleisiau isel. Cychwynnais i fyny'r grisiau a'm cael fy hun yn wynebu mam Bethan a'i hwyneb yn boen. Gafaelodd yn f'ysgwyddau a'm troi i yn f'ôl.

'Dy nain wedi'i tharo'n wael. Rydan ni'n disgwyl y doctor.'

Ni'n disgwyl y doctor, wir. Pwy oedd y *ni* yma gofynnais i mi fy hun. Roedd y *ni* yn fy esgymuno i; roedd cyhuddiad yn y *ni*. Teimlwn ddicter yn crynhoi o'm mewn at Nain. Doedd ganddi ddim hawl i fynd yn sâl, actio'r oedd hi. Yn fy ngwylltineb, gallwn fynd i'w llofft a'i hysgwyd yn iawn, ond troi'n ôl efo mam Bethan a wnes i.

Eisteddais ar y gadair freichiau a theimlo'r pren yn galed trwy'r glustog. Roeddwn i fel ci chwareus wedi'i daro nes ei yrru i ddryswch. Beth wyt ti wedi'i wneud rŵan? gofynnai'r cyhuddwr. Pam y gwnest ti hyn i dy Nain? Ar Nain roedd y bai, atebais. Wnes i ddim nad oedd gen i hawl i'w wneud. Pam fod raid iddi styrbio a mynd yn sâl? Pa ffawd oedd wedi bod yn disgwyl amdana i fel pioden yn cuddio yn y coed? Doedd dim yn newid. Roedd tinc euogrwydd i'w glywed yn ddigyfnewid fel tinc morthwyl ar yr un garreg o hyd ac o hyd. Yn lle ehangu wrth fynd ymlaen, culhau a wnâi'r llwybr a minnau yn cael fy ngwasgu rhwng dwy wal. Un wal oedd y digwyddiadau o'm cwmpas, a'r llall oeddwn i, yn fy nghasineb a'm heuogrwydd — y ddwy wal yn cyd-droelli a minnau, pwy bynnag oeddwn i, yn rhodio rhyngddynt. Roeddwn i wedi fy nhynghedu i ladd yr hyn a garwn.

Daeth y doctor i lawr y grisiau.

'Rhaid cadw dy nain yn dawel. Rydw i wedi rhoi tabledi iddi. Wedi cael sioc y mae hi. Mi gei fynd i'w gweld hi rŵan. Mae Mrs Roberts am aros efo chdi heno. Mi gawn weld fory.'

Wedi i'r drws allan gau ar ei ôl, euthum i'r lobi a dechrau dringo'r grisiau. Wyddwn i ddim beth i'w ddisgwyl. Roedd arna i ofn, ofn yr hyn a wnawn oedd arna i. Ofn yr ystrancio a'r cerdded allan.

Gorweddai Nain yng nghanol y gwely mawr. Y peth annisgwyl i mi oedd ei gweld mor ddiymadferth. Roedd y gwynt wedi symud y tywod ar lan y môr nes bod y lle'n edrych yn wahanol; eto'r un traeth oedd o. Edrychai'r gwely'n wahanol ac roedd y bwrdd glàs a'r gadair wedi eu symud. Roedd Nain hefyd yn wahanol, ond teimlwn yn awr ei bod hi'n nes at wreiddyn yr hyn oedd hi. Gwelwn hi yn ei straeon a'i byw llawen, ond, yn blaenach na dim, gwelwn yr hyn a wnaethai hi i mi. Am eiliad gwelwn yr holl linynnau a fu'n symud y pyped trwy'r blynyddoedd. Roedd fel petai hanfod ei bod yn dod i'r golwg ar frig y don yn fwy eglur nag mewn oes o gyd-fyw. Cefais fy hun yn ceisio taflu rhywbeth i'w gafael cyn iddi ddiflannu am byth o'm golwg.

'Ydach chi'n well, Nain?'

'Ei di ddim eto, nac ei?'

Oedais.

'Estyn y Beibl yna i mi.'

Gwnes innau.

'Deud â dy law ar hwn.'

Rhoddais fy llaw ar y Beibl.

'Os nad oes arnoch chi isio i mi fynd, Nain, a' i ddim.'

'Fydd dim sôn am y peth yn y tŷ yma eto.'

Roedd y creisis drosodd. Ni fu ystrancio, ni fu raid i mi ei brifo. Llwyddais i gyrraedd rhyw wastad newydd mewn bywyd. Ond beth am Don? Nid oeddwn yn credu o ddifrif fy mod wedi gorffen efo fo. Dim ond yn amodol yr oeddwn wedi addo. Doedd dim yn derfynol. Ar y pryd, doeddwn i ddim yn sylweddoli fod yna derfyn i bethau.

Yr Addewid

Pan ddeffrois i'r bore wedyn teimlwn yn glyd yn fy ngwely. Roeddwn i wedi cael cwsg braf, y cwsg a ddaw i'r sawl a wnaeth yr hyn sydd raid. Chysgais i ddim wedyn ychwaith. Heb symud o'm lle, edrychais ar y cloc. Roedd hi'n hanner awr wedi wyth. Beth oedd yn bod? Caeais fy llygaid i geisio cysgu, ond roedd rhywbeth yn bod. Gwrandewais, a chlywed sŵn ceir yn mynd trwy'r pentref islaw, yn araf fel pe bai eira ar lawr. Ond doedd yna ddim eira yr amser yma o'r flwyddyn. Niwl, meddyliais, mae'n rhaid ei bod hi'n niwl y tu allan. Ond roedd rhywbeth arall yn wahanol heddiw. Gallwn ei synhwyro. Y sŵn a glywn o gwmpas y tŷ oedd yn wahanol, sŵn symud gofalus, clwyfus; nid y sŵn iach ffwrdd â hi hwnnw a wnâi Nain. Dyna pryd y cofiais am ddigwyddiadau neithiwr. Mam Bethan oedd yna, mae'n rhaid, yn ceisio bod yn ddistaw am fod Nain yn sâl.

Saethodd yr ofn a gefais neithiwr trwy fy nghalon unwaith eto. Ofn gweld Nain yn darfod, ofn i'r wyneb cyfarwydd ddiflannu, yr wyneb oedd wedi bod allan yn fan'cw er pan fedrwn gofio. Ofn colli'r cysgod. Ofn fy mod wedi lladd y nain oedd yn fy nghalon.

Codais a thynnu'r llenni ar niwl, niwl gwres, niwl mynydd. Welwn i ddim pellach na giât yr ardd. Gallai beidio â chodi am ddyddiau yn yr haf fel hyn, y niwl wedi cau am fynydd a chwm fel ei gilydd. Doedd o ddim yn y llofft ychwaith; yn hyn o beth roedd niwl yn wahanol i dywyllwch. Deuai tywyllwch i mewn trwy ffenestri a than ddrysau gan lenwi pob twll a chornel a meddiannu'r cyfan, y cadeiriau a'r wardrob a'r holl degis ar y bwrdd glàs. Roedd tywyllwch yn blotio lle nad oedd niwl ddim. Yma yn y tŷ a'r llofft gallech fyw eich bywyd rhwng y pedair wal, a hynny aeth yn uffern i mi. Buasai tywyllwch wedi bod yn well i mi.

Ar y bwrdd bach wrth ochr fy ngwely roedd blocyn o bren a'm henw wedi ei gerfio arno. Dyna'r unig beth oedd gen i i'm hatgoffa o Don. Roedd o wedi trafferthu codi'r llythrennau o'r pren ac wedi rhoi farnis arno nes ei fod yn sgleinio. Teimlwn fy llofft yn goleuo wrth i mi edrych arno a gwyddwn fod Don allan yn rhywle yng nghanol y niwl. Doedd dim modd gwybod ym mhle, dim ond ei fod yno. Gwyddwn ei fod yn fy ngharu yn union fel y gwyddwn i gynnau ei bod hi'n niwl a bod rhywun diarth yn y tŷ.

Agorais ddrws y llofft a gwrando. Gwrando nes teimlo fy llygaid yn mynd yn fawr, fawr. Deuai sŵn anadlu cryf o'r llofft, ond es i ddim yno; mynd i lawr y grisiau wnes i. Roedd mam Bethan yn gwrando arna i'n dŵad reit siŵr, achos roedd hi'n sbio arna i pan es i trwy'r drws.

'Sut mae hi heddiw?'

Roedd yn chwithig gen i ofyn am Nain a hithau wedi bod yma er pan allwn gofio. Ei hwyneb hi oedd wedi bod yn gwenu a gwgu arna i cyn i mi fedru ffurfio geiriau. Yr wyneb allan yn fan'cw. Hi yn fan'cw a finnau yn fa'ma, ond eto yr oedd hi wedi mynd i mewn i mi rywsut, yn golofnau a gynhaliai fy mywyd. Roedd arna i ofn i'r rhain ddisgyn.

'Mi gysgodd tan chwech,' clywn mam Bethan yn dweud. 'Mi gymerodd banad gin i'r adag honno. Rydw i'n credu ei bod hi wedi cysgu wedyn. Oedd hi'n cysgu rŵan d'wad?'

'Rydw i'n meddwl, ond wnes i ddim sbio.'

'Tyrd i gael dy frecwast rŵan. Mi gei fynd i edrych amdani wedyn.'

'Be gafodd hi, Anti Dora?'

'Rhyw dro bach gafodd hi wsti. Mi ddaw'r doctor yn y munud. Dipyn bach o orffwys ac mi fydd hi'n iawn.'

Codais oddi wrth fy mrecwast a chychwyn i fyny'r grisiau. Dringais o ris i ris dros yr hen garped coch blodeuog cynefin a chraffu ar y llwch yn onglau ffyn y canllaw, ac ar y ffon a bwlch ynddi am fod y gainc wedi dod allan. Dod i ben y landing ac i olwg drws ystyllennog ei llofft. Roedd arnaf ofn ei hwynebu; ofn y llygaid a fyddai'n fy nal at f'addewid, ac ofn y gorthrwm yn y lle cynefin yma. Eto heddiw doedd dim rhaid brifo neb. Cawn am ychydig amser eto guddio y tu ôl i'r addewid.

'Does golwg arna i, Eirlys bach, heb fy nannedd?'

Ar ei heistedd yn ei gwely yr oedd hi. Roedd pantiau yn ei bochau, ac wrth fod y wefus uchaf welw yn bwrw dros yr isaf roedd golwg ymochel ar ei hwyneb i gyd. Deuai'r gwyn trwy felyn ei gwallt.

'Ydach chi'n well heddiw?'

'Gwan fel pluan ydw i, hogan. Mi gysgais i hefyd tan y chwech yma. Wedyn mi 'ddylis fod rhywun yn canu'r gloch. Glywaist ti rwbath d'wad?'

'Naddo. Dim.'

'Doedd o'n beth rhyfedd? Chlywodd Dora ddim chwaith.' Roedd meddalwch ei hwyneb yn symud i gyd.

'Ydach chi eisiau bwyd, Margiad?' Roedd mam Bethan wedi dod i'r llofft.

'Ydw, mi faswn i'n meddwl 'mod i. Mi fedrwn i fwyta pryfed. Rydw i dest na chodwn i i'r gadair, genod.'

Wrth i mi agor sêt y cymôd daeth hen ogla i'm ffroenau, a chydag ef daeth hen atgofion, a hen ofn. Y llofft yn ddistaw, neb o gwmpas, agor y caead yn sydyn, a'r chwa o ogla diarth yn creu gwefr o ofn. Ei agor unwaith wedyn er mwyn teimlo'r ias yn mynd trwy fy nghorffyn bach. Ogla troeth dynol yn gymysg ag ogla Dettol oedd o reit siŵr. Cawn agor y caead ar fyd o gyfrinachau, ac o noethni cyffrous gwaharddedig. Roedd rhyw fo a hithau wedi bod yma mewn gwendid, ond caent eu lapio mewn distawrwydd pan holwn amdanynt. Pobl wedi mynd ond yn dal yno, yn cuddio y tu ôl i'r llenni llonydd ac yn y tywyllwch o dan y gwely. Awel euogrwydd a ddaeth o'r cymôd i mi heddiw, fel pe bawn i'n gyfrifol amdanynt rywsut.

Ceisiodd Nain godi. Plannodd ei migyrnau yn y fatras. Sylwais ar ei sodlau gwyn yn gwthio ar y gynfas. Nid oedd codi i fod.

'Be ydi'r matar arna i deudwch, genod? Rydw i fel hen gant,' meddai gan chwerthin. 'Mi ddo i'n y munud.'

'Wedi cyffio'r ydach chi.'

Bu raid codi ei choesau dros yr erchwyn a'i hwylio ar draws y llawr at y cymôd. Wedi eistedd i lawr edrychodd allan trwy'r ffenestr.

'O, mae hi'n niwl mawr y tu allan. Rŵan rydw i'n sylwi. Mae hi'n tydi? Ynta fi sy'n meddwl?'

'Na, mae hi'n niwl dopyn, Margiad.'

Eisteddai ar y cymôd yn gwneud dŵr ac yn edrych allan trwy'r ffenestr, a ninnau'n dwy yn edrych arni.

'Dyna well, genod.'

Cymerodd fraich pob un ohonom a llusgo'n ôl i'w gwely. Rhoddodd ei phen ar y gobennydd, cau ei llygaid a gosod ei dwy law wrth ei hochr ar y cwilt.

Gwelais y dŵr melyn yn y cymôd. Ymwrolais a chodi'r pot o'r gadair. Wrth i mi roi fy llaw odano roedd y pot yn gynnes. Ai dyma bris fy heddwch, mynd â hwn i'w daflu?

Wrth i mi fynd trwy'r drws, digwyddais droi fy mhen i edrych ar y gwely. Dyna lle'r oedd hi'n edrych arnaf efo un llygad yn agored. Beth oedd yn digwydd y tu ôl i'r amrant caeëdig arall? Am eiliad dyna lle'r oedd y ddwy ohonom, y naill yn edrych ar y llall.

Trwy ffenestr pen y grisiau gwelais y niwl unwaith eto, a chofio am Don. Ni allwn goelio fy mod wedi anghofio amdano tra oeddwn yn y llofft. Roedd neithiwr yn perthyn i fodolaeth arall. Neithiwr roeddwn i wedi rhannu ei gyfrinach, ac yntau wedi fy nghodi fel deilen i'r awyr. Neithiwr roeddwn i wedi teimlo'r dynged yn lapio amdanaf. Nid digwyddiad cnawdol ac arwynebol oedd o i mi, ond roedd o'n cynnwys fy holl fodolaeth; fy emosiynau a'm meddyliau'n tyfu'n frigau mân i lenwi pob cwr ohonof. Dim ond deuddeng awr oedd yna er neithiwr, ond rhyngof a hynny roedd addewid. Byddai raid i mi adael iddo wybod fod Nain yn sâl ac na fedrwn ei weld am dipyn. Llythyr fyddai orau. Doeddwn i erioed wedi sgwennu ato. Wrth feddwl am hynny, anghofiais am y pot oedd yn fy llaw ac yn hollol fecanyddol es i'w wagio i'r bathrwm i lawr y grisiau.

'Dwn i ddim beth faswn i'n ei wneud hebddat ti, Eirlys bach,' meddai hi wedi i mam Bethan fynd. 'Fûm i erioed mor sâl, cofia. Rydw i'n well heddiw. Mi goda i fory. Dwi'n methu dallt pam yr ydw i mor wan. Roedd Mam 'run fath pan oedd hi'n sâl. "Gwan ydw i hogan," meddai hi. Mi helpis i hi i'r gadair, ac yna ei rhoi yn ôl yn ei gwely. "Dyna braf," meddai hi. Dyna'r peth dwytha ddeudodd hi. Rydw i wedi bod yn meddwl lot amdani yn fa'ma. O, mi fydda i'n well fory.'

Cofiais am ogla'r cymôd ac am y lleill a fu yma yn eu gwendid. Tro Nain oedd hi heddiw.

'Does yna'r un ohonom ni yma'n hir iawn.' Yn fyfyrgar y dywedodd hi hynny. Yna ychwanegodd a hiraeth yn ei llais, 'Mae bywyd mor felys'.

Suddodd ei geiriau i mewn i mi. 'Does yna'r un ohonom ni yma'n hir iawn.'

Edrychais trwy'r ffenestr ar y niwl yn cau amdanom ein dwy. Gwelais fy hun wedi fy ngosod yma i gydoesi â hi am gyfnod. Roeddwn i'n fud fel pe bawn wedi deffro i fawredd rhyw olygfa banoramig. Edrych ar ôl Nain oedd y peth iawn i'w wneud. Gwarchod yn dda oedd *raid* i mi; gwneud penyd am yr hyn a wnes i i'w brifo hi.

'Dos i nôl dŵr a sebon i mi gael molchi cyn i'r doctor ddŵad.'

Wedi dod yn ôl eisteddais ar sêt y cymôd yn ei gwylio'n ymolchi. Defnyddiai'r cadach at ei breichiau, ei gwddf ac wedyn ei hwyneb. Doeddwn i 'rioed o'r blaen wedi sylwi mor denau oedd ei gwddf, a'r croen fel croen cyw iâr wedi'i bluo.

'Dyna braf cael dŵr dros fy wyneb. Estyn y talc yna i mi.'

Tywalltodd beth rhwng ei choban a'i chroen.

'Tyrd â'r sent i mi.'

Chwistrellodd ychydig y tu ôl i'w chlustiau a'i harddyrnau.

'Dos i nôl fy mrwsh dannedd i.'

Wedi i mi ddod â'r brwsh gafaelodd yn ei dannedd, eu codi o'r gwydraid dŵr wrth ochr y gwely a'u rhoi yn y dŵr molchi yn y ddesgil. Cymerodd y brwsh atynt i'w llnau, ac yna eu rhoi yn ei cheg.

'Dyna welliant. Tyrd â 'mag i mi rŵan.'

Edrychodd arni ei hun yn y drych bach a mynd ati i daenu minlliw ar ei gwefusau.

'Dyna fo. Ydw i'n edrych yn o lew iddo fo d'wad?'

'Mi a'i i wagio'r dŵr yma.'

Teimlwn fy llais yn galed.

O hyd braich y cariwn i'r ddesgil. Gwelwn y bwyd a fuasai dan ei dannedd yn y dŵr llwyd, a'r sebon a'r chwys wedi ceulo ar ymyl y ddesgil. Mae dŵr molchi yn beth mor agos at rywun. Erbyn hyn roedd arnaf ofn yr agosatrwydd, ofn y dŵr yma a oedd yn gymaint rhan ohoni. Roedd hi'n ymdrech i mi olchi'r ddesgil, ei sychu ac yna i wasgu'r cadach molchi.

'Eirlys! Eirlys!'

Clywais weiddi mawr o'r llofft.

Rhedais i fyny gan lamu dros ddwy neu dair gris ar y tro. Dwn i ddim ai balch ynteu dig oeddwn i o'i gweld hi'n eistedd yn ddigynnwrf yn ei gwely.

'Fasat ti'n taro cadach gwlyb ar garreg y drws i mi?'

Dweud yn hytrach na gofyn.

Roedd y giât bach yn eglur ond diflannai'r llwybr yn ddim yn y niwl gwyn. Lluchiais y cadach llawr ar y llechen nes bod ôl y dŵr yn ei duo. Rhwbiais y sebon ar y cadach ac yna rhwbio'r llechen fel y gwelswn Nain yn gwneud. Roeddwn i'n rhwbio fy nheimladau allan o fod.

'Fasat ti'n gwneud panad o de i mi?'

Gwnes innau. Pan oedd hi ar ganol ei hyfed meddai wrthyf: 'Rydw i eisiau deud wrthyt ti. Rydw i wedi meddwl deud lawer gwaith. Wrth orfadd yn fa'ma mi fûm i'n meddwl lot am dy fam.'

Dyma'r briw na fyddai hi byth yn sôn amdano.

'Beth oedd yn bod arni?'

'Mi gafodd dy fam groesi lle'r oedd yr afon yn gul.'

'Sut y buodd hi . . .?'

'Wrth i ti gael dy eni.'

Ie'n siŵr. Pa reswm arall allai fod? Fe wyddwn i trwy'r adeg yn y bôn mai dyna'r gwir, ond yn awr dyma fo mewn geiriau. Ai dyma'r geiriau oedd yn mynd i wneud synnwyr o bopeth i mi? Mi ddois i i'r byd ac fe aeth fy mam allan o fod. Wrth fynd, fe adawodd y canol gwag yma sy'n cnoi ymylon fy mywyd i; y gwacter yma lle mae popeth yr un fath, chwedl Don. Brifo pobl eraill oedd fy nhynged i er y dydd y cefais i fy ngeni. Sut bynnag yr edrychwn i arni, roeddwn wedi fy nghlymu er y dechrau hyd yn awr. Yr addewid yma i Nain oedd yn fy nal i rŵan. O ble ces i'r syniad fod addewid yn cyfrif? Dim ond geiriau a ddywedais. Eto, mae bwriad i eiriau; maen nhw'n ffurfio meddwl, ac yn medru bod yn ddiollwng. Doedd Duw a Beibl yn golygu dim i mi ac eto, pam oedd y geiriau hynny'n sefyll yn fy erbyn? Ni feddyliais erioed fod dewis rhwng Don a Duw yn bosibl, rhwng y ddau oedd acw, allan yn y niwl.

Daeth mam Bethan yn ei hôl. Cyrhaeddodd y doctor. Galwodd cymdogion. Bu'r bore yn hir iawn i mi. Yn y pnawn mi sleifiais trwy'r niwl i bostio llythyr at Don. Doedd gen i ddim dewis arall. Roedd fel pe bai cynllun ar droed yn rhywle'n gofalu fy mod yn cadw f'addewid. Dycnaf yn y byd yr ymladdwn i, uchaf yn y byd y codai f'addewid fel draig yn fy erbyn. Ni chredwn yn Nuw, ac eto ato Ef yr anelwn fy nicter. Roedd ei law wedi cyffwrdd â'r llecyn o gariad oedd yn fy mywyd, ac wedi cau arnaf.

Yr ail ddiwrnod, ni chododd y niwl. Cerdded i fyny ac i lawr y grisiau, nôl diod, nôl dŵr i molchi, cario carthion i'r tŷ bach, gwneud bwyd, golchi, llnau, mynd â phobl i weld Nain, dal pen rheswm, gwneud te, siarad; dyna fu'r ail ddiwrnod i mi.

Niwl oedd hi'r trydydd diwrnod hefyd. Mi wyddwn i hynny cyn codi o'm gwely. Codais a chael fod y tŷ i gyd yn cysgu. Fi oedd yn gyfrifol am ei deffro heddiw gan nad oedd mam Bethan wedi cysgu. Tynnu'r llenni, gweld y niwl. Mynd i lawr y grisiau, gweld y lludw yn y grât. Deffro'r tŷ a deffro fy ngorffennol unwaith eto am ddiwrnod arall.

Dal yn y niwl yr oedd hi'r pedwerydd diwrnod. Y bore hwnnw mi ddeffrois i sylweddoli fy mod i'n bodloni ar ychydig. Nain yn ei gwely, Nain yn sâl, Nain hunanol; dyna fy newis i! Erbyn y bore, roedd fel pe bai rhyw benderfyniad cudd wedi ei wneud gennyf neu wedi ei wneud ar fy rhan.

Rywbryd cyn cinio daeth clwt o awyr las i'r golwg, ac fe gododd y niwl yn fuan. Edrychai pob man yn llawen unwaith eto. Clywn y ceir yn gwibio fel pe bai mwgwd wedi ei dynnu oddi arnynt. Eisteddais ar wal fach yr ardd yn edrych i lawr ar y wlad yn yr haul. Dechreuais bigo'r mwsogl oedd rhwng y cerrig a'i daflu i'r awyr. Teimlad o fyfyrdod oedd wedi gafael ynof; syniadau'n codi i'r wyneb a neb yn gwybod ym mhle y byddent yn disgyn. Wna i? Ynteu, wna i ddim? Taflu'r syniadau i fyny fel pe bai'r dewis rhyngddynt yn deg, ond yn gwybod fod awel yn eu cipio yn anochel i un cyfeiriad. Wrth i'r haul dywynnu ar fy nghluniau teimlwn fy ngwaed yn cynhesu ac awydd anorchfygol yn deffro ynof. Cri oedd hi am fod yn agos at Don. Dim ond y fo a allai lenwi'r gwacter yma oedd yng nghanol fy mywyd.

At y pnawn cafodd Nain godi a dod i lawr y grisiau. Gyda'r nos daeth cymdoges ati am sgwrs. Trwy'r ffenestr gallwn weld eu hwynebau hir llwyd, a'r pen golau a'r pen tywyll yn nodio ar ei gilydd geg yng ngheg. Trwy'r drws clywn furmur eu lleisiau di-baid yn codi a gostwng. Doedd dim rhan i mi yn eu pethau.

Cerddais i lawr y llwybr i'r lôn a throi i gyfeiriad y bont. Daliai'r awyr yn las a digwmwl, ond nid oedd yr haul eto wedi cael cyfle i godi'r gwlith a oedd yng nghysgod y cloddiau. Porai'r defaid a'r ŵyn fel pe baent heb weld bwyd ers dyddiau.

Sefais ar y bont a'm llygaid yn chwilio glannau'r afon amdano. Edrychais i lawr i ddüwch y pwll a gweld cysgod Don yn symud yn y dŵr. Roedd o'n sefyll odanaf wrth droed y bont. Teimlwn fy mod wedi newid er pan welswn ef o'r blaen, wedi grymuso rywsut. Pan droes ei ddau lygad mawr brown arnaf gwyddwn yn iawn ei fod yntau hefyd wedi newid.

Mynd i Landudno

Ymwelwyr oedd y mwyafrif o'r rhai a safai ar y platfform yn disgwyl y trên. Wrth sefyll yn eu mysg efo Bethan teimlwn yn gyffredin a di-raen. Chwaraeai plant o gwmpas gan glepian eu sandalau newydd ar y llawr, a gwyliai eu rhieni nhw fel pe na bai neb arall erioed wedi cael plant. Roedd rhai pobl ifainc hyderus yno, yn gwisgo dillad blêr drudfawr, ond teimlwn i yn nes at bensiynwyr y dref nag atyn nhw. Safai'r dynion ar eu sodlau gan ddal bol yr ymddeoliad o'u blaenau. Am eu pennau'r oedd cap stabl ac amdanynt y crysbeisiau cartrefol. Ychydig oddi wrthynt safai eu gwragedd, yn grwn fel pêl a bag siopio ar fraich pob un. Pan welsant fi, troesant eu cefnau. Gwyddwn eu bod yn siarad amdanaf.

'Does 'na bethau mawr yn digwydd yn ein hymyl ni!' meddai un ohonynt gan wneud yn siŵr fy mod yn ei chlywed.

'Cerdded rownd wal y fynwant rydan ni i gyd,' meddai'r llall.

Breuder bywyd fuasai ar fy meddwl innau ers dyddiau. Gyferbyn ar y mynydd, gwelwn y borfa yn wyrdd ar yr ochr uchaf i'r ffens ond yn felyn a chrin yr ochr isaf.

Daeth dynes fras liwgar i'r stesion a gweiddi o un pen i'r llall: 'Mae'r hanes i gyd yn y papur heddiw'.

'O,' meddai un o'r gwragedd eraill. 'Beth ddaw ohonom ni yn y lle yma, deudwch, yn creu sôn amdanom fel hyn?'

'Roedd pob papur yn y siop wedi mynd,' gwaeddodd y ddynes fras yn falch.

Felly, meddyliais, roedd marwolaeth Don yn rhywbeth i'r holl dref, nid yn unig i mi. Aethai fy mhoen i yn eiddo cyhoeddus, yn beth i'w drin a'i drafod, i'w werthu a gwneud elw ohono. Un peth oedd gofid cudd, ond peth arall oedd gweld pobl eraill yn ei fyseddu ac yn edrych arno o bob cyfeiriad. Ar y foment gyntaf mae ein trallod yn bur; pobl eraill sy'n ei faeddu. Toriad miniog oedd marwolaeth Don i mi ond rŵan roedd pobl fusneslyd yn ysgythru'r briw.

Daeth y trên yn nes fel anghenfil mawr yn straffaglu i arafu am yn hir, cyn stopio o'r diwedd. Symudodd pawb at y drysau fel un gŵr, pawb ond y fi a Bethan. Yn llipa a gwargam yr es i i'r cerbyd, yn chwithig gan lusgo fy hun wysg f'ochr.

Cyn i'r trên gychwyn syrthiodd distawrwydd dros yr orsaf. Cerddodd dyn boldew yn ei ddu heibio'r ffenestr a daeth i'r cerbyd atom.

'Bore da. *Good morning,*' meddai'n ddwyieithog wrth bawb yn ddiwahân.

Un o hogiau'r dref oedd o, wedi dringo bron iawn yn Aelod Seneddol. Disgynnodd yn drwm rhwng y sedd a'r bwrdd o'i flaen cyn chwilio â'i lygaid mochyn am rywun a'i hadwaenai. Gwelwn hi'n braf arno, yr hyder a'r grym, y bloneg yn glustog rhag siom a'r torchau cnawd a lifai dros ei goler yn gwarantu cydwybod dawel.

Cychwynnodd y trên ac ysgubo heibio'r tai, yn gyrn a thalcenni a thoeau, heibio i'r pyramidiau llechi ac i mewn i'r twnnel tywyll. Ar eu hunion, cynheuodd lampau trydan y trên i oleuo'r cerbyd a gwelsom ein lluniau ein hunain yn y ffenestri. Chwarddai'r plant, dotiai'r rhieni a chribiniai'r erthyl A.S. y ffenestri i chwilio am rywun a'i hedmygai. Edrychais ar fy llun fy hun. Beth oedd gan y llygaid dychrynedig a'r bochau pantiog i'w ddweud? Dim. Doedd yno ddim ond yr hen siâp cyfarwydd. Eto, yr oedd gweld fy wyneb yn ddychryn i mi. Roedd rhyw newydd-deb ynddo a mwy ynddo nag a welwn i, a mwy nag a welai neb arall ychwaith. Ni fuasai neb wrth edrych arnaf yn dychmygu'r encilio mawr a oedd yn digwydd o'm mewn. Sefydlogais lygad ar lygad ond nid oedd hynny'n lleddfu fy mhoen. Yna, unwaith eto, edrychais ar y rhes lluniau yn y ffenestri. Rowlient yn braf wrth gydsymud ond ar yr un pryd yn cadw'r un pellter oddi wrth ei gilydd, fel bywyd ei hun. Roedd arnaf eisiau dweud wrthynt: 'Cadwch draw, peidiwch â dod yn nes na hyn. Mi fydd fy mhoen i'n annioddefol os dowch chi'n nes.'

Yn sydyn diflannodd y lluniau. Roeddem allan yn yr heulwen unwaith eto ac o'n cwmpas gwelwn fynyddoedd a chaeau. Ar y llechwedd gyferbyn, roedd pobl yn trin gwair yn y cae. Edrychent yn fach ac wedi'u dal yng ngwe pry copyn y cloddiau gwynion o'u cwmpas. Yr un fath oedd hi'r ochr yma i'r twnnel, hefyd, felly.

'Mae'r bobl yna'n edrych yn berffaith lonydd,' meddwn i wrth Bethan. Dychrynais fy mod wedi siarad â neb.

'Ni sy'n mynd yn gyflym,' meddai hithau.

Llithrai'r trên yn ei flaen gyda glan yr afon, a edrychai i mi fel petai wedi blino. Ar y llethrau yr oedd coedwig bîn wedi ei thorri nes gadael diffeithwch o frigau brown a bonion gwynion. Yn uchel ar y creigiau yr oedd coed heb eu torri ac ambell goeden wyw wedi disgyn ar eu traws gan fynnu dal gafael, fel y meirw'n dal eu gafael yn y byw.

'Bradychu ynteu gwadu ydi'r gwaethaf, Beth?'

'Paid, Eirlys. Paid â brifo dy hun.'

'Rydw i'n cofio bod mewn arholiad ers talwm a sgwennu mai Pedr ddaru fradychu.' Edrychais drwy'r ffenestr. 'Roeddwn i'n gwybod yn iawn mai Jwdas wnaeth. Eto Pedr rois i i lawr.' Oedais wedyn, ac yna gofynnais, 'Fyddi di'n gneud petha fel yna?'

'Gneud beth?'

'Gneud y peth nad wyt ti'n bwriadu'i neud?'

'Bydda weithiau.'

'Mae'r peth wedi'i wneud wedyn am byth. Nid chdi sy'n gneud. Fel tasa rhywbeth yn gafael yn dy law di a gneud i ti sgwennu'r peth anghywir.'

'Does dim bai arnat ti felly, nac oes?'

'Mi wnes i bopeth yn rong, Beth. Pob peth.'

'Dim ond un ffactor wyt ti.'

'Mi gwerthis i o i'r plismyn. Fi oedd y drwg o'r cyntaf un. Fi ddaru dynnu sylw ato fo.' Gwelwn eto wyneb milain Don pan ddywedais wrtho na allwn ei weld wedyn. 'Dos o 'ngolwg i'r neidar,' meddai. Gwyddwn wrth ei olwg ei fod o dan ddylanwad cyffuriau.

'Dychryn wnes i, Beth, a gweiddi. Roedd golwg mor gas arno fo.' Ond a oeddwn i'n dweud y gwir i gyd? A oedd dialedd yn llechu yn y dwfn, am ei fod wedi troi'n gas ata i? Fi oedd achos ei dranc p'run bynnag. Petawn i heb ei weld erioed . . . petawn i heb roi lle iddo . . . petawn i heb weiddi ar y plismyn a phetawn i — a hyn oedd llygad y corn — petawn i heb chwennych dial, mi fyddai Don yn fyw. Nid un gair yn y frawddeg oedd yn rong ond y frawddeg i gyd o'r dechrau i'r diwedd. Hyn oedd fy ngofid i.

Roeddem wedi cyrraedd gorsaf arall ac yn codi ychwaneg o bobl. Mewn pentref ymwelwyr yr oeddem, a'r coed pîn yn gaer o'n cwmpas. Rhuthrodd y bobl liwgar am y cerbyd; roeddynt yn f'atgoffa o gocrotsis a welswn yn cerdded ar lawr becws yn y nos. Cododd atgasedd ynof at y bobl ac at yr harddwch o'm cwmpas; crefwn am y fforest greithiog honno ac am y tomenni llechi.

Erbyn hyn edrychai'r gwleidydd yn llai pwysig ac eto yr oedd ei gefn llydan fel mur yn erbyn y cyffro o'i gwmpas. Edrychai'n nawddoglyd, a'i wyneb yn dweud, 'Chwarae teg i'r bobl gael mwynhau eu hunain, rhof fy nghaniatâd i chwi.'

Ymlaen â'r trên ar ei daith eto gan fynd trwy dir rhywiog y dyffryn. Deuai'r awyr yn ysgafnach wrth i'r dyffryn ymagor ac edrychai'r ffermdai gwynion fel petaent wedi eu gosod yn ysgafn yn eu lle ar y tir. Roedd taith arall o hanner awr o'n blaenau, ond nid oedd amser yn cyfrif i mi. Mae taith amser yn golygu newid; teimladau statig oedd gen i. Roedd un orsaf fel y nesaf ac nid oedd wahaniaeth rhwng pobl y naill orsaf a'r llall. Er bod yr afon yn ymledu fel y deuai i'w haber a bod yr adar tragwyddol yn pigo a cherdded yn y mwd ar ei glannau, llithro trosof a wnâi pob newid. Wrth i'r trên droelli gyda glan yr afon, gwelwn dyrau a muriau'r castell draw dros y dŵr. Ni allwn dynnu fy llygaid oddi arno, ond troi fy mhen fel y symudai'r trên nes y daethom i olwg y môr. Dyna lle'r oedd o'n wincio ar y byd. Arno yr oedd plât disglair o adlewyrchiad haul fel twll golau yng nghanol glas y môr a oedd yn un â glas yr awyr. Tybed ai gweld môr o wydr o'u blaenau y mae'r rhai sy'n credu mewn nefoedd? Ai dyma'r wobr am helbul ein byw?

Ar ôl cyrraedd yr honglad o orsaf Fictoraidd, ymunais â'r dorf oedd yn ymadael â'r trên. Yn y fynedfa ymwahanodd pawb i'w ffordd. Braidd nad oedd yn chwith gennyf ffarwelio â'r bobl hyn a fu'n gymaint rhan o'm cur. Roedd arnaf gymaint o eisiau dweud, 'Welwch chi byth ofid fel hyn eto, bobol. Wrth i ni ymadael yn awr ewch â mymryn o'm poen efo chi. Ysgafnhewch fy maich.'

Er y prysurdeb yn y stryd, roedd yno hamdden hefyd, hamdden pobl ar eu gwyliau, hamdden rhai oedd wedi gadael eu gofalon beunyddiol. Dywedai eu hosgo nad oedd brys yr wythnos yma a'u bod am fwynhau gweld a mwynhau prynu, mwynhau dillad a mwynhau dod i'r stryd yn y gadair olwyn. Digon i ni heddiw, meddent, yw bod allan yma ymysg pobl yng nghysgod y mynydd acw ac o dan yr awyr las. Am eiliad, teimlais fod fy ngofid ymhell i ffwrdd. I fyny acw yng nghanol y llechi yr oedd fy ngofid i. Dechreuais gredu y gallwn gau'r drws arno am y dydd. Cogio nad oedd o'n bod a mynd yn ôl i'r dyddiau gynt. 'Mi wnawn ni chwarae gêm,' meddai rhywbeth o'm mewn, 'mi galwn ni hi'n gêm mynd i Landudno.'

Wedi crwydro'r stryd am dipyn, aethom ein dwy am ginio. Yn y caffi yr oedd darluniau mawr ar y waliau, llun castell a llun gwartheg yn pori'n braf mewn cae.

'Be gymeri di?' gofynnodd Bethan.

'Dwn i ddim, beth sydd yna?'

'Mi gymera i dysan a chaws a salad.'

'Mi gymera inna bysgodyn a tsips.'

Gyferbyn â ni eisteddai cwpwl gwladaidd yn bwyta yr un mor naturiol yma ag a wnaent gartref.

'Mae hi'n braf cael tendans,' meddai'r wraig gan sychu'r saim â'i llaw oddi ar ei cheg smongar.

Pan oeddynt bron â gorffen daeth cydnabod iddynt heibio ac aros i sgwrsio.

'Ddoth Gwladys ddim efo chi heddiw, Lias Tomos?' gofynnodd y wraig gyferbyn â ni iddo.

'Naddo, ei chwaer hi. Martha,' esboniodd yntau.

'Y dlotan. Lle mae hi rŵan, Lias?'

'Mewn cartra.'

'O, O,' llaes gan y wraig.

'Ia, ers dechrau'r ha'. Dydi hi ddim yn ein nabod ni rŵan.'

Daeth yr 'O' allan wedyn yn llaesach os rhywbeth.

'Fedra Gwladys ddim dŵad,' meddai yntau a gresynu yn ei lais. 'Doedd hi ddim yn iawn iddi hi jolihoetio a Martha yn y fan honno, meddai hi. Er na fedra hi wneud dim iddi.'

Gwrandewais a theimlais y bygythiad i'm gêm newydd. Yma yr oedd ffyddlondeb i boen fel ffyddlondeb aderyn i'w nyth.

Toc aeth y tri ohonynt allan gan droi a throsi rhag ofn eu bod wedi gadael rhywbeth ar ôl.

'Mi awn ni i lan y môr rŵan,' meddai Bethan.

'Ia.'

Roedd gweld y môr o'r prom llydan uchel yn halen ar f'ysbryd cignoeth. Pob un ond fi'n mwynhau ei hun. Roedd rhai yn rhodio'r prom, eraill yn eistedd ar y meinciau yn ymyl y blodau, a'r cannoedd yn torheulo ar y tywod. Ar fin y dŵr ymdrochai'r plant ac ymhellach o'r lan codai pen ambell nofiwr. Tu draw i'r rhain roedd y cychod yn chwilio am wynt. Aethom i lawr i'r traeth i geisio lle i orwedd ar y tywod gan droedio'n ofalus rhwng y teuluoedd â'u tyweli a'u basgedi o'u cwmpas i warchod eu tiriogaeth. O'r diwedd, cawsom le i orwedd ac ymestyn ar y tywod chwilboeth. Cau ein llygaid. Clywed sŵn. Sŵn plant yn chwerthin, chwerthin yn dod o bob man, a sŵn y môr yn esmwyth bell. Agorais fy llygaid i'r awyr las. O gyfeiriad y môr dynesai cwmwl ysgafn gwyn a phan oedd yn union uwchben dechreuodd chwalu. Diflannodd o flaen fy llygaid a theimlais yr ymdrech yn fy ngadael. Roedd chwerthin a sgrechian plant ar orwel fy ymwybod. Daeth parlys ar fy mhoen, mud boen y moelydd ydoedd bellach yn hytrach na thrywaniad y creigiau ysgythrog. Yr holl dyrfa yma ar y traeth, ai am yr heddwch hwn y chwilient?

Ni wn am faint y buom yn gorwedd felly, ond pan godais ar fy eistedd roedd hi bron yn benllanw. Llepiai'r tonnau llwyd yn ysgafn ar y tywod, a hwyliai pobl i ymadael â'r traeth.

'Hufen iâ?' gofynnais i Bethan.

'Hufen iâ. Ia?' meddai hithau. Chwarddais innau am y tro cyntaf ers dyddiau.

Ond tra oeddem yn llyfu'r hufen iâ yng nghysgod y coed daeth llais edliwgar i'n clyw. Edrychais, a gwelais ddyn mewn gwisg moto beic a'i wyneb yn goch fel crib ceiliog. Ni feddyliais y byddai digofaint yr un dyn hwn yn gymaint o fwyell ar fôn fy hapusrwydd.

'Doedd dim raid i ni ddod mor wyllt, nac oedd?' gofynnodd i'r llwytyn a eisteddai ar fainc o'i flaen gan hanner edrych arno. 'Rwyt ti wedi difetha'r cwbwl i mi. Difetha'r diwrnod i gyd. Fel 'tai dod yma bum munud yn gynt yn bopeth. Dydi o ddim, nac ydi?'

'Nac ydi,' cytunodd y llall.

'Pam oedd raid i ti yrru fel ynfytyn? Dydan ni fymryn gwell o gyrraedd yn fuan, nac ydan? Dim ond difetha'r diwrnod. Does dim mwynhad i mi rŵan. A hithau'n ddiwrnod mor braf. Difetha'r cwbwl.'

Ni allai adael llonydd i'r peth. Pam na fasa fo'n anghofio ac yn dechrau mwynhau ei hun o'r munud hwnnw. Pam na fedrwn i anghofio 'mriw innau?

Roedd pobl yn prysur droi eu cefn ar y traeth. Daeth chwa o unigrwydd dros y môr. Wrth i mi gerdded am yr orsaf roedd y llais cecrus yn dal yn fy nghlustiau yn dweud fod fy ngêm innau hefyd drosodd.

Chwarae'r ffilm yn ei hôl fu'r daith adref. Roedd yr haul ar dyrau'r castell wrth i ni fynd heibio a daethai'r llanw i mewn i guddio mwd yr aber a hel yr adar i ffwrdd. I fyny'r dyffryn yr oedd ein golygon ni bellach, tua'r mynyddoedd glas yn y pellter; yn nes atom roedd y llechweddi gwyrddion coediog. Yn araf yr âi'r trên gan aros ym mhob gorsaf. Yn un ohonynt siaradai dwy wraig â'i gilydd.

'Tydi hi'n dywydd braf?'

'Mi gawn dalu am hyn eto, gewch chi weld,' meddai'r llall. Finnau'n meddwl, tybed a oedd yn *rhaid* i adfyd ddilyn gwynfyd? Ymlaen yr aethom a'u gadael yn tin-droi ar y platfform. Fel y culhâi'r dyffryn, âi'r creigiau yn fwy ysgythrog. Roedd y cae gwair a welsem yn y bore wedi ei gario i gyd. Wrth i'r haul fachludo treiddiai ei belydrau i'r cerbyd cyn i'r trên ruthro i'r twnnel. Pan ddaethom allan yr ochr arall roedd yr haul wedi mynd, wedi machludo y tu ôl i'r mynydd. Arafodd y trên a nesu'n ddiog at ochr y platfform ac yna aros yn ddistaw. Wedi i mi gamu allan, clywais chwibaniad uchel o'r stryd ac yna leisiau aflafar hogiau'n gweiddi ar ei gilydd.

Roeddwn i'n ôl yn y bowlen o fynyddoedd unwaith eto. Unwaith eto'n cerdded y stryd lle'r oedd papurau hufen iâ yn y gwter. Daeth y golygfeydd â chur y dyddiau cynt yn ôl i mi â sydynrwydd llachar. Prin y sylwn ar Bethan yn cerdded wrth f'ochr, a'r euogrwydd o'm mewn yn codi fel pryfed o gwter. Beth wnes i o'i le? Am beth mae rhywun yn difaru? Mae edifeirwch yn beth mor fympwyol. Difaru cychwyn trwy'r glaw heb gôt, difaru mynd, difaru peidio, difaru cymaint nes yn y diwedd difaru 'mod i'n bod! Y siom o fethu cyrraedd y nod yw edifeirwch, ein nod chwerthinllyd ni ein hunain.

Daeth yr holl fanylion yn ôl yn fyw i mi, yn fwy byw ac yn fwy hegar ar ôl cael dianc am y dydd. Cofiais amdanaf fy hun yn sefyll o dan y dail gwyrdd ac yn edrych i lygaid tywyll Don. Roedd ei wyneb wedi mynd yn gymaint rhan o'm hiraeth a'm poen nes bod breuddwyd a ffaith yn ymdoddi'n un. Teimlais y tosturi'n ffrydio ato o waelod fy nghorff a âi mor wan o'i weld yn sefyll mor ddiymgeledd ar fin y dŵr. Doedd yna'r un addewid a'm cadwai rhag mynd ato y funud honno.

Yn yr awyr o dan y coed yng nghysgod bwa'r bont roedd ogla mwg melys. Sylwais mor llydan a di-ffurf oedd ei ên, yn amlygu'r gwendid y gwyddwn ei fod yno'r holl amser wrth iddo dorri'i enw ar y goeden a swagro ar y mynydd.

'Don.' Ei lygaid yn dal ar y dŵr. 'Fedrwn i ddim dŵad. Roedd Nain . . . Rwyt ti'n dallt, yn dwyt?'

Nid fi oedd yn siarad. Teimlwn fy mod wedi fy nghodi'n bigyn allan o soced fy mywyd, yn rhywbeth ar wahân i'm gorffennol wrth i mi wylio'i wyneb yn chwyddo'n gas o'm blaen.

'Paid â thwtsiad ynof fi'r neidar. Be oeddat ti'n sgwennu fel yna i mi? Pam na fasat ti'n sgwennu'n sownd yn ei gilydd? Y ledi bach, oeddat ti'n meddwl na fedrwn i ddim dallt? Mi fedra i neud hebddat ti, yn medra?'

Felly, am beidio â sgwennu'n sownd yr oeddwn i i fod i ddifaru! Gwelaf yn awr fod popeth a wnawn a phopeth a ddywedwn yn ei frifo, ond ar y pryd fy mriw i fy hun oedd flaenaf ar fy meddwl. Doeddwn i ddim yn ateb yr hyn a ddisgwyliai oddi wrthyf, a hynny oedd yn brifo.

Roedd golwg wyllt yn ei lygaid a chasineb dwl y tu ôl iddynt yn rhywle. Poerodd ar y llawr fel pe bai'n fy mhoeri allan o'i gyfansoddiad. Llifodd ei boer gludiog yn araf i lawr y gwelltglas. Beth a wnaeth i mi fod mor ddiniwed â chredu ei fod yn fy ngharu? Rydan ni'n meddwl fod yr hen ystafelloedd yn aros yn ddigyfnewid tra byddwn ni i ffwrdd, a bod yr un croeso'n aros pan ddown yn ôl. Mae amser yn symud ac addewidion a phenderfyniadau yn newid agwedd ac yn ystumio teimlad. Daeth y dagrau i'm llygaid. Roedd o wedi fy nhwyllo i. Roeddwn i wedi gobeithio y byddai'n deall ac y byddai'n amyneddgar, ond yn lle hynny, gwelwn fwystfil yn sathru popeth glân.

Nesâi ataf dan fytheirio ac âi'n fwy a mwy cynddeiriog. Cofiais am yr ogla melys o dan y coed a chiliais o'i flaen yn ôl i fyny'r llwybr. Ar ddamwain yr oedd dau blismon mewn fan yn teithio i lawr y ffordd. Gwaeddais arnynt. Fe gâi o dalu am hyn. O câi! Y munud nesaf roeddwn yn tosturio wrtho. Ei gefn a welwn i a thristwch ymadael yn y cefn hwnnw. Roedd o'n trybowndian mynd ar hyd y gors a'r ddau blismon, wedi arogli'r mwg, yn ei ddilyn yn bwrpasol a thrymaidd. Rhedais innau'n afrosgo ar eu holau. Pe medrai gyrraedd y goedwig yr ochr draw i'r ceunant, byddai'n ddiogel oddi wrthynt. Gwelais ef yn cychwyn i lawr y ceunant a'i ben yn diflannu o'm golwg. Safodd y ddau blismon ar ymyl y ceunant yn edrych i lawr. Pan gyrhaeddais i, gwelwn eu bod yn edrych ar swp ar garreg yn y gwaelod. Don ydoedd, yn gorwedd fel doli glwt yr oedd rhywun wedi ei thaflu o'r neilltu. A dyna'r darlun a arhosodd efo mi wedyn drwy'r oriau, dros y cynhebrwng a'r cwest ddoe.

Ar waelod y llwybr oedd yn arwain at y tŷ ffarweliais â Bethan.

'Fyddi di'n iawn rŵan, Eir?'

'Mi fydda i'n iawn o fa'ma. Diolch iti am ddŵad.'

'Iawn 'sti.'

'Nos dawch.'

'Nos dawch.'

Cerddais i fyny at y tŷ. Euthum dros yr un hen gwestiynau a'r un cyhuddiadau wedyn. Roedd rhyw symudiad newydd wedi digwydd heddiw, rhyw sefyllfa newydd wedi ei chreu. A oedd rhan o'r dystiolaeth o'm plaid wedi ei hanghofio yn rhywle? Beth oedd ar fin cael ei ddweud wrthyf? Rhoddais y bai ar Don eto. Ond nid oedd neb i ddadlau'n ôl â mi, a phan nad oes neb i ddadlau'n ôl, rhaid cymryd y bai am bopeth. Fy mhroblem i oedd hi bellach. Doedd Don ddim yn bod. Daliai'r hogiau i gymowta ar y stryd a'u chwibanu a'u gweiddi yn ddibris o'm poen, ond chôi o ddim rhan yn hyn bellach. Am eiliad roedd yr holl greadigaeth wedi aros, y greadigaeth yma yr oeddwn i wedi ei chreu heddiw a phob heddiw er dydd fy ngeni. Nid oedd dim yn digwydd ynddi. Roedd popeth ar stop. Yna, yn araf, ailgychwynnodd a phan wnaeth, gwelwn fod fy mhoen wedi'i hel at ei gilydd ac na allwn wneud dim ond ei thaflu at y bwndel o ofid a oedd yno eisoes.

Cynfal Hefyd

Pan welsom ni Cynfal yn llusgo i lawr y lôn at ddrws y Neuadd a'i goesau byr yn sigo dan bwysau'r ddau gês a gariai, un ym mhob llaw, fe wyddem ein bod am hwyl, ond pan ddywedodd yn bwyllog, 'Dyma Neuadd Syr William Roberts, rwy'n tybio,' gwyddem fod trysor tu hwnt i'n dychymyg wedi dod i'n mysg. Rhoddodd y ddau gês i lawr, sychodd y chwys oddi ar ei dalcen a gwthio ei sbectol rimyn aur yn ôl i'w lle ar ei drwyn smwt. Gwenodd yn ansicr nes gwneud i'w wefusau edrych yn lân yng nghanol y plorod oedd dros ei wyneb. Safai yn y cyntedd yn ddihyder fel cyw iâr yn chwilio am damaid i'w bigo.

Camodd myfyriwr o'r de i'w gyfarfod gan ysgwyd llaw yn gynnes ag ef.

'Sudach chi hedduw?' gofynnodd, gan wneud acen ogleddol agored.

'Iawn, diolch yn fawr. Sut ydach chi?' meddai yntau yn ymofyngar.

'Siencyn ydw i.'

'Cynfal ydw inna,' a'r dagrau yn dod i'w lygaid wrth dderbyn y fath garedigrwydd, ond efallai mai clywed sŵn yr enw a roes ei fam arno a wnaeth.

'I ystafell y bwrsar yn fanna'r ydach chi i fod i fynd,' meddwn i wrtho. Daeth drosof awydd mawr i'w amddiffyn, ond nid oedd arno eisiau hynny, fel y gwelais lawer tro wedyn. Rhoddodd edrychiad amheus arnaf fel pe bai'n anfodlon fy mod yn torri ar draws ei sgwrs â chyfaill.

'Diolch. Diolch yn fawr.' Edrychodd i'm hwyneb a gwelais ryfeddod yn dod i'w lygaid. Ni wyddai beth i'w wneud efo'i draed, ond yn y diwedd rhoes un cam mawr tua'r drws agored, ac yna brysio yn fân ac yn fuan cyn diflannu i'r ystafell a'n gadael ninnau'n edrych ar ein gilydd.

Fel yna y daeth Cynfal ac fel yna y bu trwy gydol ei arhosiad byr gyda ni. Ni fyddai byth yn brin o bobl o'i gwmpas. Dilynid ef gan giwed o hogiau a fyddai'n ei bryfocio a'i annog i ryw wiriondeb neu'i gilydd. Ond nid oedd gan Dic amynedd â nhw. 'Gweld eu gwendid eu hunain maen nhw yn y boi,' oedd ei ddedfryd.

'Mae gin i biti drosto fo. Wyt ti'n meddwl mai gweld fy niffygion i ynddo fo'r ydw inna?'

'Mi fedri di ffeindio rhwbath ynot ti dy hun dim ond i ti roi enw arno fo,' meddai yntau.

Chwilio am enw ar y rhywbeth hwnnw y bûm i gydol y tymor wedi hynny.

Bellach, rwy'n meddwl i'r hogiau fod yn garedicach ato nag y bûm i. Câi ganddyn nhw y sylw y crefai amdano, ond gomedd ei angen a wnes i.

Un diwrnod ar y coridor mawr yn y Coleg wrth ymyl y ffenestri plwm, daeth i'm cyfarfod ar ei ben ei hun. Roedd golwg brysur a llwythog arno.

'Helô, Cynfal.'

'Helô, Eirlys. Sut ydach chi?' Cododd ei sbectol yn ôl ar bont ei drwyn.

'Iawn, diolch.'

'Mae hi'n braf.' Roedd ei lygaid aflonydd yn osgoi fy wyneb.

'Wedi bod mewn darlith ydach chi, Cynfal?'

'Ia . . . Naci . . . Nid y munud yma. Mae hi'n ddiwrnod braf heddiw.'

'Ydach chi'n setlo yn y Neuadd, Cynfal?'

'Ydw, reit dda. Rydw i wrth fy modd yna. Ga i ofyn, os nad ydw i'n rhy ddigywilydd, be ydi rhif eich ystafell chi?'

Ni allwn guddio fy ngwên.

'Fydda i byth yn deud wrth hogia drwg.' Aeth i'r pot yn lân ac ofnais am funud ei fod am grio. Yna magodd hyder a gofyn fel rhywun a oedd wedi bod yn rihyrsio'i eiriau, gofyn efo'i ochr chwith, rywsut:

'Eirlys. Fasach chi . . . Ddowch chi . . . allan am dro efo mi?'

'Sori, Cynfal,' meddwn i'n hollol ddifrifol. 'Mae yna rywun arall.'

Daeth poen i'w wyneb a sgriwiodd ei lygaid yn fach. Ar y foment honno agorodd y drws derw ar ben y grisiau. Daeth yr Athro Cledwyn trwyddo gan ffit-ffatian yn fân ac yn fuan, ac eco'i draed yn chwalu rhwng colofnau'r coridor trymaidd. Aeth heibio i ni a'i law ar ei arlais. Ni welodd ni o gwbl; aeth y Lefiad academaidd heibio a'n gadael yn edrych allan trwy'r ffenestr.

'Ydi hynny'n gneud gwahaniaeth?' Cefais yr argraff fod rhywbeth cyntefig o anystyriol ynddo o deimladau neb arall.

'Be fasa Dic yn ei ddeud?'

'Ia 'ntê.'

'Rhaid i chi f'anghofio i, Cynfal.'

'Dyna'r cebyst sydd, yntê, neno'r argol.' Fel petai afiechyd arno. 'Fedra i ddim anghofio'ch wyneb chi.' Roedd yn gorfod yfed ffisig drwg.

O hynny ymlaen ceisiais fod yn dyner o'i deimladau, ond mae'n rhaid fod hynny'n waeth iddo. Roeddwn i'n ymwybodol ei fod yn fy ngwylio. Os daliwn ef yn edrych, byddai'n codi ei sbectol ar ei drwyn ac yn hollti'r plorod ar ei wyneb â'i wên. Gwyddwn y byddai'n fy ngwylio pan fyddwn efo Dic ac roedd ei eiddigedd yn fflamio fy ymgais i fod yn ddeniadol. Weithiau pan fyddwn ym mreichiau Dic, sylwn arno fel pe bawn yn deffro o freuddwyd. Syllai arnom a throi i ffwrdd a rhoddai hynny'r syniad i mi fy mod i'n berchen ar allu diderfyn. Nid oedd gennyf gywilydd yn y byd o hynny. Gallu absoliwt sy'n lladd euogrwydd. Onid y gallu yma y chwiliem amdano bob un ohonom? Methu â'i gael oedd yn creu'r taeog ynom, hyd yn oed yn ein protestiadau.

Ni allwn adael llonydd i Cynfal fel arall ychwaith. Roedd yna un eneth lwydaidd a gerddai o gwmpas y lle fel llygoden fach. Ni allaf gofio ei henw erbyn hyn. Gwelwn ei llygaid llwyd yn pefrio yn ei gwmni. Un noson roeddynt ill dau efo'i gilydd yn llyfrgell y Neuadd. Roedd ei swildod hi'n chwalu fel pridd yn yr haul ar ôl rhew. Daliai ei hun ar osgo lonydd a chwerthin yn ddistaw wrth wrando arno.

'Helô, Cynfal,' meddwn innau. Eisteddodd yntau'n syth yn ei gadair, yn euog fy mod wedi ei ddal, ond yn ei lygaid roedd gobaith fod rhyw gyfnewidiad ynof tuag ato.

'Ydach chi am ddod i weld y newyddion ar y teledydd, Cynfal?'

'Duwcs, ia, roeddwn i wedi anghofio am achos yr hogia.' Cododd ar ei union a gadael y llygoden fach yn syllu ar ei llyfrau o'i blaen.

Y tymor cyntaf hwnnw iddo yn y Coleg roedd helynt parhaus gyda'r cenedlaetholwyr. Câi rhywun ei garcharu neu ei ddirwyo yn wythnosol. Deuai sŵn i'n clustiau am gam-drin a churo, bygwth ac erlid, am dapio ffôn pobl ac am y gelyn oddi mewn. Doedd wybod pwy oedd pwy. Cynllwyniem, ond roedd cynllwynio'n drosedd. Roedd y byd i gyd fel pe bai wedi ymdynghedu i ladd hawliau rhesymol dynoliaeth. Credaf mai dyma'r cyfnod y dois i sylweddoli fod gennym hawliau. Ni feddyliodd pobl fy nghynefin gartref erioed nad oedd ganddynt hawliau unigol, hawliau yn aml a oedd gyfled â'r greadigaeth, ond ni welais i grynhoi dyheadau ar y cyd. Pwysau carbon amorffws yn hytrach nag ymyl finiog deiamwnt oedd eu hawliau. Yma'r oedd brwydrau i'w hymladd a hynny ar lawer ffrynt, ond yn y bôn un Frwydr oedd yna, a hynny yn erbyn anghyfiawnder ac awdurdod er mwyn achub safonau gwareiddiad.

Y noson honno syllem i fol y teledydd a'n ffroenau'n ymagor wrth weld cynghorwyr yn gwerthu eu genedigaeth fraint am saig o fwyd. Eisteddai Cynfal ar ymyl ei gadair, lle y torsythodd a dweud: 'Rargol, mae'n gywilydd gin i 'mod i'n Gymro'.

'Pedair canrif o waseidd-dra,' meddai un.

'Cymhlethdod y taeog,' meddai'r llall.

'Does a wnelo hynny ddim byd â'r peth, gwd boi,' meddai Siencyn. 'Weli di fi. Llewelyn oedd enw 'Nhad-cu. Llewelyn y Glasied Olaf. Dirwestwr mowr. Do's 'da hynny ddim byd i neud â fi ti'n gweld. Sa'r hen ddyn yn wynebu'r gorllewin yn 'i fedd pe gwele fe fi. Esgus yw'r busnes pedair canrif 'ma. Myth.'

'Dydi pobl ddim yn gweld, nac ydyn?' Arianwen oedd yn siarad, y fwyaf tanllyd ohonom i gyd. 'Mae hi fyny i ni i ddangos iddyn nhw. Ni ydi cydwybod y Genedl. Mae'r cwbwl yn dibynnu arnom ni.' Roedd ei holl gorff bach cadarn yn tynhau yn ddwrn a migyrnau.

Nid oedd yr argyhoeddiad digymrodedd yma gennyf i, ond wrth sipian mi gefais innau archwaeth. Aeth i mi fel gwenwyn o gyfrifoldeb, weithiau'n fy nychu a thro arall yn fy nerthu.

'Mi wnes i fethu dal efo Whitby heddiw,' meddai Cynfal.

'Be wnest ti heddiw, Cynfal?' gofynnwyd yn frwd iddo.

'Mi oedd y blincin Whitby yna'n fy ngalw i'n Synfal bob gafael.'

'Beth ddeudist ti wrtho fo, Cynfal?' Closiwyd ato.

'Mi ddeudis i wrtho fo yn ei iaith ei hun mai Cynfal oedd yr enw a roddodd Mam arna i.' Chwerthin wnaethon ni i gyd. Ni allwn beidio â meddwl am Cynfal byr ei goes yn dweud wrth y clymangi academaidd hwn a fyddai bob amser yn dal ei ddwylo fel pe byddai'n barod i arwain côr.

‘ “*You are Synfal to me*”, meddai’r bygar wrtha i, ac medda finna, “*But my name is my very essence*”. ’

Rhywbeth yn perthyn i iaith yw enw meddyliais pan oeddwn ar fy mhen fy hun yn f’ystafell. Eto byw i’n henwau yr ydym ni i gyd yn y pen draw. Edrychais drwy’r ffenestr ar y ddinas islaw. Roedd barrug cynta’r gaeaf yn mygu goleuadau’r strydoedd, a’r cerbydau yn symud drwyddo yn ddiddiwedd fel ysbrydion distaw. ‘Lle mae’r gelyn?’ gofynnodd rhywbeth o’m mewn, wrth i mi dynnu’r llenni a throi at fy nhraethawd a oedd ar ei hanner ar y bwrdd. Roedd y traethawd yn mynnu ei hawl arnaf, a’r dadansoddi academaidd yn nos o’m cwmpas. Ai fel hyn yr oedd dod o hyd i’m henw? Cofiais am Nain yn nhawelwch ei thŷ dan y sêr. Nid cofio ychwaith ond byw’r lle am eiliad. ‘Mae bywyd yn felys’ oedd ei dywediad mawr. I mi yr oedd blas chwerw ar y melys. Roedd yr hen gymdeithas wedi rhoi ei nod arnaf ac yna fy nhaflu heibio i berthyn i neb. Daeth chwerthin o’r ystafelloedd cyfagos, a dyna fi’n ôl eto yn y Neuadd enfawr, yn y cwch gwenyn hwn lle’r oedd myfyrwyr yn breuddwydio am radd dosbarth cyntaf tu ôl i’w henwau.

Roeddwn yn falch o weld Dic yn agor y drws. Adroddais hanes Cynfal efo Whitby wrtho.

‘Gas gin i’r boi Cynfal yna.’

‘Wel, mae o dipyn yn ddiniwad,’ meddwn innau. ‘Ond mi safodd, yn do?’

‘Mae o’n cynrychioli i mi yr elfennau salaf yn ein bywyd cenedlaethol, y cyffredinedd, a’r emosiwn di-ddal. Mae o’n codi cywilydd arna i. Y peth didoriad yna dan y camargraff fod y Greal yn ei ddwylo. Bod yn gymêr, yn ffŵl i bawb, dyna hanfod hwnna.'

'Mi ddywedodd o yr hyn rydan ni i gyd yn ei deimlo, yn do? Does neb yn parchu'r hyn ydan ni.' Siaradwn mor dawel nes i Dic godi ei ben i edrych arnaf.

'Mae o fel hogyn bach yn rhoi ei enw ar ei ddesg am nad ydi o'n neb.'

Cymerais fy meiro oddi arno am ei fod yn ei chlecian yn fy nghlust.

Daeth sŵn rhialtwch unwaith eto trwy'r parwydydd tenau. Plant oeddem yn ceisio ffeindio pwy oeddem, ac am i bawb wybod ein bod yma, a'n bod am newid y byd. Ond nid oedd neb yn gwrando arnom. Yma yn y Neuadd wrth drafod a siarad, closiem at ein gilydd. Codai su'r gwenyn pan ddôi perygl ac yna gostyngai drachefn. Yn ein hystafelloedd a'r cynteddoedd, wrth y byrddau bwyd ac uwchben peint, byddem yn trafod a siarad. Roedd pob un ohonom wedi derbyn sen gan bobl wrthnysig na allent ac na fynnent ein deall am fod enw gwahanol arnom. Roedd y Neuadd yn seintwar i ni. Teimlwn hynny'n awr, Dic yn fy ymyl a goleuadau yn yr ystafelloedd ar bob llawr.

'Rydan ni i gyd yn deall y gwarth a deimlodd Cynfal, yn dydan?'

'Does dim rhaid ei wneud o'n beth personol,' meddai Dic. 'Rhaid herio Awdurdod a chael ein cydnabod. Rhaid i ni weld ein hawliau fel hawliau'r ddynoliaeth gyfan. Blaen yr ebill ydi hyn a phan ddaw'r ergyd, bydd holl bwysau gwarth y ddynoliaeth y tu ôl iddi.'

Wrth siarad fel hyn y daeth y gelyn yn fwy adnabyddus i mi. Roeddwn i wedi bod yn chwilio am y gelyn er cyn cof ond yn awr gallwn roi enw arno. Pwyllgor o hen ddynion, ie'n sicr, dynion, o amgylch bwrdd yn pwyllgora a'u syniadau wedi fferru. Gwŷr hirben rheol-a-thraddodiad, cynsail a chysondeb yn gochl dros egwyddor, ac wedi dysgu cuddio y tu ôl i dro ymadrodd. Ond roedd y deinameit wedi ei osod yn y graig hon, a chywilydd wyneb i ni fyddai methu â'i danio.

Un diwrnod deuthum ar draws Cynfal yn cerdded trwy'r parc gan gicio'r dail.

'Mae'r lle yma'n orthrwm ar fy ysbryd i,' meddai. Ni allwn lai na gwenu wrth weld mor henffasiwn a difrifol yr oedd o. Heddiw, ni ddaeth y wên i anwylo'i wyneb. 'Mae'r muriau yma'n codi euogrwydd arna i.' Roedd malltod ei ysbryd yn ei lais wrth iddo godi ei olygon i edrych ar dŵr y Coleg. 'Fedra i ddim gweithio. Mi feddwais i'n chwil neithiwr.'

'Beth sy'n eich poeni chi, Cynfal?'

'Dyna'r cebyst. Fedra i ddim rhoi fy mys ar y peth. Mae'r lle yma'n ddiarth i mi. Fel tasa'r darlithwyr am fy ngwaed i. Dydw i ddim digon da i fod yma.'

'Ella mai ar y lle y mae'r bai.'

'Mae o'n anghydnaws â fy natur i, beth bynnag. Mi fedra i ddeud cymaint â hynny.'

Wrth ei weld yn ei gragen felly aeth rhyw felodrama i mewn i mi, ac meddwn i, 'Blodyn estron yn ein tir ni ydi'r Brifysgol. Lle byddwch chi pan ddaw dydd y chwynnu mawr, Cynfal?'

Sythodd yn ei unfan fel hogyn ysgol o flaen athro. Gadewais ef gyda hynny o eiriau. Roedd fy null o droi ar fy sawdl yn rhoi gwefr i mi, gwefr o falchder wrth deimlo fy meistrolaeth drosto. Edrychais yn ôl o ben y llwybr ar dop yr allt a'i weld o yno o hyd yn swp bach yn cicio'r dail.

Daeth dydd y 'chwynnu mawr', fel y gelwais ef yn fy niniweidrwydd, yn gynt nag yr oedd yr un ohonom wedi ei ddisgwyl. Fe aeth yn ddrwg rhwng y myfyrwyr ac awdurdodau'r Coleg. Ni allen nhw weld pam oedd rhaid newid y drefn a oedd wedi bodoli ers canrif o amser. Amdanom ni, cawsem ein rhoi ar y trên oedd wedi bod ar stop ddoe ac echdoe, ond heddiw yr oedd o wedi penderfynu symud a mynd â ni, griw cymysg diofal, efo fo. Tyfodd y gwrthwynebiad yn ein mysg fel pendduyn a gwyddem fod awr gweithredu wedi cyrraedd. Deffrown weithiau gefn nos a gwarth f'anallu yn friw.

Galwyd cyfarfod. Diflannodd yr ansicrwydd wrth i mi sugno cadernid o'r bobl o'm cwmpas. Lled-orweddai rhai'n ddiofal gan glertian ar y byrddau. Sylwais fod rhai yn eistedd ag un goes dros y llall gan siglo blaen eu troed yn ôl a blaen, ond am Arianwen roedd ei sawdl pigfain hi'n ddisyfl ar y llawr. Roedd yno wŷr a merched dicllon, a'u prif nod oedd codi cywilydd mewn dynion a ddringodd i safle.

Gwelais Cynfal yno. Sefyll a wnâi ef a'i ddwy fraich wedi eu plethu'n warcheidiol am ei fol. Nodiai ei ben yn gymeradwyol wrth wrando ar y siaradwyr yn sôn am ddyletswydd, am daflu ymaith yr iau ac am sefyll yn yr adwy, ond tybed ai'r un meddyliau oedd ganddo ef? Teimlwn fod eu gêm nhw'n wahanol iawn i'w un ef ac mai enw a gâi yma i'w deimladau. Ni allwn lai na meddwl am ei fam a'i Anti Mem. Fe'u gwelais unwaith ar y stryd pan ddaethent i edrych amdano. Dwy fechan yn sefyll a'u coesau'n stiff fel pyst. Effaith gwaith caled ar y tyddyn. Roeddynt yn gwasgar eu sirioldeb i bawb yn ddiwahân. Nid oedd y ddwy yn debyg i'w gilydd, ei fam efo asgwrn mawr i'w hwyneb heulog a'i Anti Mem yn wynepgoch fain — y hi heb blant ei hun, dim ond hogyn ei chwaer. Byddai hi'n falch ohono beth bynnag a wnâi. Ond ni allwn beidio â gofyn beth oedd a wnelo eu rhadlonrwydd naturiol nhw â'r casineb o'n cwmpas yn awr.

Cefais fy nghario dros y ffin; ar un ochr roedd cywilydd a chrymu, ond wedi croesi roedd lle i sefyll yn warsyth. Yn y cyfarfod y teimlwn felly. Yn unigrwydd f'ystafell daeth cawod o amheuaeth drosof. Allan yn fan'cw roedd Awdurdod. Roeddwn i wedi plygu iddo erioed, wedi clymu fy nyheadau wrth ei gysondeb ac wedi derbyn o haul ei fendith. Beth oeddwn ar fedr ei wneud yn awr? Gwna ar frys. Llygaid bolwyn yn sleifio yn y nos. Gwna ar frys. Roedd distawrwydd fel pla ar y Neuadd. Caeais fy llyfrau a pharatoi i ffarwelio â'm cysuron.

'Wyt ti'n barod?' Roedd y drws wedi agor a Dic yn sefyll yno. Siaradai'n ddistaw.

'Ydw.'

'Beth sydd?'

'Dic? Oes arnat ti ofn?'

‘Cynhyrfus fel ’tawn i’n mynd ar drip Ysgol Sul.’

‘Nid trip Ysgol Sul ydi o. Nid hwyl ydi o, naci Dic?’

Roedd hi’n noson loergan. Wrth i ni sleifio’n ddistaw tua’r Coleg roedd awel ysgafn yn symud cysgodion y canghennau o dan ein traed. Nid oedd olwg o neb. Nid oedd y rheidrwydd hwn ar neb arall, ar neb yn holl dai’r ddinas, ar neb yn y byd. Pam mai yn ein pennau ni y rhoddwyd y penffrwyn? Dynesem yn araf at y Coleg, y rhag-cywilydd yn chwip i’n gyrru ymlaen ac euogrwydd y gwrthryfelwr yn ein cwmanu. Ond roeddem wedi adnabod ein gelyn.

Roeddwn yn falch o gael mynd i mewn trwy’r ffenestr. Sibrydwyd croeso i ni a’n cyfarwyddo tua’r llyfrgell a’r geiriau’n atsain i fyny’r grisiau ac ar hyd y coridorau dysg. Taflai golau’r lleuad gysgod y ffenestr blwm yn ddistaw ar y grisiau. Heno o leiaf roeddem yn meddiannu’r castell academaidd.

Wedi mynd at y llyfrgell, gwelais y cysgodion dynol yn cludo’r cardiau catalogio, y cardiau a fyddai’n wystlon inni am ein hawliau.

Wedi gorffen a chael pawb i mewn, caewyd y drysau a’u clymu. Dyna pryd y cefais gyfle i weld pwy oedd yno. Wrth gwrs fod Arianwen yno a phenderfyniad digymrodedd yn ei hwyneb, Miles gyda pharabl gwyllt Maldwyn ar ei wefus dynn, Siencyn a’r Ddinasyddiaeth Fawr yn ei galon, Roger y mabwysiad o Lundain, ac Anwen herfeiddiol o ardal y Streic Fawr. Yno’r oedd Ceri a’r cof am ei thad yn eistedd ar y ffordd y tu allan i’r gwersyll milwrol yn dawelwch o’i chwmpas, a’r gwgus Philip a chanddo frawd oedd wedi dringo mast deledu mewn protest. A Chynfal y gonestaf ohonom i gyd.

Dyna'r rhai a adwaenwn orau, y rhai y gwyddwn ble y safent bob amser. Roedd rhai eraill hefyd y synnwn eu gweld yno.

Daeth i mi iachâd yn eu cwmni, ac roedd sicrwydd yn eu sibrwd tawel. Diflannodd fy holl euogrwydd. Caethion yn sicr o'n hachos oeddem, yn gwylio llygaid ein gilydd yn y gwyll. Daethai amynedd i'n llygaid. Dechreuodd rhywun ganu'n ysgafn a chlywyd lleisiau eraill yn ymuno yn y gân am ryddid a chydraddoldeb a thoriad gwawr. Roeddem yn gosod ein hunain ochr yn ochr â phob un oedd dan orthrwm. Daethai merthyrdod yn agos atom.

Gyda'r wawr bu cynnwrf yr ochr arall i'r drws. Bu bygwth a galwyd plismyn. Yna, aeth y bygwth yn apelio ac yn grefu. Nid oedd ildio i fod. Malwyd cerdyn catalogio a'i wthio o dan y drws. Yn bur gynnar daeth y cyfryngau heibio, a chyn cinio gosodwyd ein hawliau ger bron y wlad. Byddai pob tref a phentref yn gwybod amdanom; byddai *rhywun* yn siŵr o wrando. Aethom i'r ffenestri a chodi ein dwylo ar y myfyrwyr llwythog a groesai'r cwad oddi tanom ar eu ffordd i'w darlithoedd. Taflwyd sen arnom gan rai.

Yr ail ddiwrnod, cafwyd gwŷs gan yr uchel lys i'n taflu allan. Ildio fu raid. Agorwyd y drws a ffrydiodd y plismyn i mewn yn eu dillad gwydn, ac ni bu seremoni. Mae arestio yn weithred sy'n dod â chorff yn erbyn corff. Mae ofn methu ac ofn colli urddas yn gwneud haid o blismyn yn nerfus a thrwsgl eu symudiadau.

Yn ystod y cythrwfl cyntaf hwn, gwelais Cynfal yn gafael yn y bocsys catalogio ac yn lluchio'r cardiau trwy'r ffenestr nes eu bod yn disgyn i'r llawr fel conffeti. Daliodd ati'n brysur nes i'r plismyn gael gafael ynddo.

Bu llawer o drafod ar ein hachos gan yr awdurdodau a bu pledio ar ein rhan gan wŷr o ddylanwad. Yn y diwedd yr unig un a gafodd ei ddisgyblu oedd Cynfal, a anfonwyd adref am weddill y flwyddyn. Ni ddaeth yn ei ôl byth wedyn.

Fe'i gwelais y diwrnod y daeth i nôl ei bethau. Doedd ganddo ddim i'w ddweud wrthym, na ninnau wrtho yntau. Sefais yn nrws ei ystafell yn edrych ar ei gefn yn crymu uwchben ei gês.

'Mi a' i â'r poteli yna i'r bin i chi, Cynfal.'

'Diolch i chi.'

Roeddwn i'n falch o gael mynd oddi yno, i rywle. Pan ddeuthum yn ôl roedd o wedi gorffen hel ei bethau a'u rhoi yn y ddau gês. Safai yn betrus uwch eu pennau a'i ddwy law allan yn barod i afael ynddynt.

'Mi wnes i fy ngora, yn do?' meddai gan syllu i'm hwyneb.

'Do, Cynfal,' meddwn i, ond heb fedru edrych arno. 'Do, mi wnaethoch eich gorau.'

Plygodd i lawr i afael yn ei gesys a dweud a'i ben i lawr, 'Doedd arna i ddim isio'ch siomi chi'.

Yna, a chês ym mhob llaw, stryffagliodd trwy'r drws a'i lusgo'i hun allan o'r Neuadd yn union fel y daethai i mewn.

'Mi Dafla 'Maich'

Gwynt y dwyrain yn sgubo'r stryd. Huwcyn a minnau'n cerdded yn glòs ac yn cydgamu fel un i gael cynhesrwydd ein gilydd. Cawsom ychydig o loches rhag y gwynt ar ôl dod i gysgod y stand oedd yn hofran yn nüwch yr awyr. Yn uchel wrth ochr y stand roedd y llifoleuadau'n edrych i lawr arnom â'u llygaid disglair. Brysiai'r dyrfa i gyfeiriad y canu hiraethus-ddisgwylgar a ddeuai'n anwastad ar yr awel o'r cae. Arhosai rhai i brynu rhywbeth gan y gwerthwyr ar y palmant — rhaglen, bwyd neu sgarff, efallai. Dychrynais wrth weld plismyn ar gefn eu ceffylau yno. Wrth eistedd ar eu cyfrwyau gloyw edrychent mor dal a chydnerth. Gwrandewais ar sŵn pedolau'r ceffylau, yn fyddar i'r holl drwst arall o'm cwmpas. Heibio iddynt yr aeth Huwcyn a minnau gan wasgu at ein gilydd yn dynn, ond gafaelai'r mwrllwch du, oer ym mêr ein hesgyrn.

Âi pob un yn ei flaen i'r un cyfeiriad gan feindio'i fusnes ei hun, eto i'r un lle yr aem, fel petai llif amhersonol yn ein cario a'n gwasgu yn nes at ein gilydd wrth agosàu at y cae. Tebygwn fod popeth yma yn perthyn i'r un byd cynefin a gymerai pawb mor ganiataol. Nid oedd hyd yn oed y dyn a gerddai o'n blaenau gan gario bwrdd pren ar ei gefn yn ymddangos yn anghydnaws, er mor groes i natur y lle yr oedd ei neges. 'WELE OEN DUW' meddai'r ysgrifen ar y bwrdd. Roedd rhywbeth pwrpasol yng ngherddediad y dyn, ond roedd ei droed chwith yn cael ei thaflu allan fwy na'r dde. Wrth nesu ato sylwais fod y bwrdd wedi ei wneud i bara, efo ffrâm bren dda iddo a'i phennau wedi eu naddu'n grwn a gofalus. Dros bob ysgwydd roedd strap cryf yn dal y bwrdd wrth fwrdd arall a gariai o'i flaen. I gwblhau'r harnais roedd dau strap arall yn mynd o dan ei geseiliau o'r naill fwrdd i'r llall. Wedi i mi fynd heibio, trois yn fy ôl i weld pa neges a gariai ar y tu blaen. Gwelais yr ysgrifen 'YR IESU SY'N ACHUB'. Yr un pryd daliais ei lygaid am eiliad cyn i mi fedru troi'n fy ôl a swatio'n nes at Huwcyn.

Trwy'r clwydi tywyll â ni a cherdded i fyny'r grisiau i'r stand. Ymhell islaw i ni roedd y llain betryal werdd a'r ddwy gôl wen. Dyma'r tro cyntaf i mi fod mewn cae pêl-droed o'r iawn ryw. Er hynny, ymglywais â disgwyliadau'r dorf aflonydd ac archwaethwn fy mhrofiad newydd. Yn y cyfnod hwn yn fy mywyd, hynny oedd popeth i mi. Er pan oeddwn yn gweithio yn y ddinas fawr yma cawswn wared â'r hen rwystredigaeth a fuasai'n fy llesteirio cyhyd; cawswn fynegiant iach i'm teimladau yn yr amrywiaeth o'm cwmpas. Bellach nid oedd arnaf ofn brifo pobl nac ofn gwneud camgymeriadau fel cynt. Dywedai'r bobl yma eu barn yn blwmp heb ofn brifo neb. Pam na allwn innau wneud yr un fath? Gwrandawn arnynt a dal ar eu brawddegau a'u geiriau nes gallu eu dynwared. Roedd y peth yn hawdd; doedd dim rhaid meddwl yn ddwfn, ac o ganlyniad, aeth bywyd yn rhywbeth haws i'w gario. Yn wir, teimlwn mai bywyd oedd yn fy nghario i. Perthynas glöyn byw â blodau oedd fy mherthynas i â phobl, a chysylltiad ffwrdd â hi dros dro oedd rhyngof a Huwcyn. Deallem hynny ein dau ac felly ni châi'r un ohonom ei frifo. Y profiad oedd yn bwysig i ni ein dau. Pêl-droed oedd diddordeb Huwcyn ac felly pêl-droed i minnau, er mwyn y profiad.

Bûm yn hir yn ymuno â thonfedd y dorf a ymatebai fel un gŵr i'r hyn oedd ar droed y foment honno. Newidiai ei thymer o eiliad i eiliad, a byddwn i'n hir yn deall ystyr y floedd hon a'r ochenaid ddofn arall. Digwyddai'r cwbl fel cadw defod. Weithiau, roedd yno ganu, a'r munud nesaf wrandawiad mor astud â gweddi. Nid oedd y ddefod yn golygu dim i'r sawl oedd y tu allan, ond roedd yn bopeth i'r addolwr. Roedd dwy gêm yma, un ar y cae a llall i'r gwylwyr. Cawswn f'anghofio'n llwyr gan Huwcyn. Neidiai wrth f'ochr fel jac yn y bocs a bloeddiai'n anghyffredin. Gwelais ochr newydd iddo fel pe bawn yn tynnu'r llenni un bore a gweld tŷ newydd wedi codi dros nos. Pan ddaeth yr egwyl sylwais nad oedd neb yn gwenu, ond bod trafod mawr ar y diffygion a'r rhagoriaethau, ar y siawns oedd yn ein herbyn, y cyfle a gollwyd, y petai a'r petasai. Gwyddwn innau am gêm felly, ond doedd wiw i mi sôn am honno.

Yn ei bryd, fel popeth arall, y daeth y terfyn. Yna cododd y dorf a symud at y clwydi cyn gwasgaru i bob cyfeiriad. Roedd brys yn awr a rhedeg mawr i ddal bws neu drên. Symudai pawb ond y plismyn. Safent hwy'n barod am unrhyw helynt, ond eto yr oedd osgo seintwar a chartref yn eu symudiadau. Yr unig un arall a arhosai ar ôl oedd y gŵr a gariai'r byrddau. Pa raid oedd arno fo i sefyll yno ar y palmant oer i gyhoeddi ei neges i'r byd? Sylwais yn fwy manwl arno. Am ei ddwylo yr oedd ganddo fenig gwlân, ond roedd ei ben yn noeth a chwifiai ei wallt tenau gwyn yn yr awel. Côt fawr gyda thipyn o ôl traul arni oedd amdano, ond roedd sglein ar ei esgidiau duon uchel. Yn awr, wrth ei basio, gallwn weld croen llac ei wyneb yn ddwy linell o bobtu ei drwyn ac roedd ymylon ei geg dynn yn troi i lawr. Aethom heibio iddo a'i adael yno fel bilidowcar yn lledu ei adenydd ar y traeth.

Ni thybiais y deuwn ar ei draws byth wedyn ac anghofiais amdano. Roedd fy mryd yn awr ar dreulio'r gyda'r nos efo Huwcyn yn fy fflat. Wrth symud fel hyn o obaith i obaith yr oeddwn i'n cadw ar y berw. Wedi cael pryd o fwyd yn y ddinas, cawsom fws at ben y stryd. Cerdded wedyn o dan y coed tua'r fflat a thrymru'r ddinas o'n hôl. Ar draws y parc gwelem y bysiau a'r cerbydau'n gwibio'n llyfn fel mewn meri-go-rownd. Daethom at y tai mawr oedd wedi eu troi'n fflatiau, rhoi'r goriad yn y drws ac i mewn i'r cyntedd o afael y gwynt, a Huwcyn yn cau'r drws ar f'ôl.

'Yli!' meddwn i wrtho. 'Yli' a oedd yn ddychryn ac yn orchymyn. Ar lawr yn gorffwys ar y mur y tu allan i ddrws y fflat isaf roedd yr arwydd a gludai'r hen ŵr ar ei gefn: 'WELE OEN DUW'. Yr un bwrdd yn union oedd o, ond edrychai'n llai yn awr ar lawr wrth ein traed ac roedd y geiriau yn fwy swil. Iaith nad oeddwn i'n ei deall oedd hon hefyd.

'Coed tân ar f'enaid i, Eirlys,' meddai Huwcyn gan swagro i fyny'r grisiau yn bendew. Roedd rhywbeth diffaith yn Huwcyn.

Nid oeddwn wedi dychmygu fod gan y gŵr gartref, na'i fod o'n cadw'r byrddau yn rhywle nes byddai arno eu hangen wedyn. Sut y byddai o'n eu cario efo fo i'r gêm? Beth a'i symbylai? Beth oedd mecanwaith ei boen? Trwy'r gyda'r nos ni allwn beidio â meddwl yn ysbeidiol amdano. Roeddwn yn teimlo fel pe bai cydymaith wedi dod i'r tŷ diarth hwn y bûm yn byw ynddo ers misoedd. Cyn hyn nid oeddwn wedi ystyried pwy oedd yn byw yn y fflat odanaf nac uwch fy mhen, ond yn awr roeddwn yn ymwybodol o rywbeth yr oedd arnaf eisiau dianc oddi wrtho. Er hynny, cawn fy nenu ganddo. Pan ddanfonais Huwcyn at y drws y noson honno roedd y byrddau wedi diflannu.

Bu raid i mi aros am wythnos arall cyn gweld neb yn dod o'r fflat isaf. Y wraig a welais i. Un fechan ysgafn oedd hi ag wyneb cul, a'r mur rhwng ei dwy ffroen yn hir ac amlwg. Y diwrnod hwnnw yr oedd ganddi sgarff am ei phen, belt wedi ei gau yn dynn am ganol ei chôt law, ac ar ei braich ei bag siopio. Wrth ei phasio sylwais fod ganddi arferiad o bwffian trwy ei thrwyn wrth anadlu, rhyw snwff-snwff diflas.

Yr unig fan y gwelwn i'r dyn oedd ar y stryd y tu allan i'r cae pêl-droed. Yno y safai bob tro yr ymwelwn â'r lle a'r ddau fwrdd ar draws ei gorff fel penyd. Yr un geiriau diarth fyddai arnynt bob tro. Trwy'r gaeaf oer a chaled hwnnw awn efo Huwcyn i weld y gêmau, ac yno ar y stryd y byddai yntau.

Heddiw wrth fynd i'r gêm roedd haul mis Mawrth yn gynnes ond nid oedd olwg o'r dyn. Teimlais chwithdod o'i golli ef a'i neges ddiystyr. Cofiais nad oeddwn wedi gweld ei wraig y bore hwnnw ychwaith, a byddwn yn arfer ei gweld ar fore Sadwrn; hi'n mynd allan a minnau'n dod i mewn. Cip a chyfarchiad wrth fynd heibio fel y gweddill o'm bywyd.

Heno ar ôl y gêm doedd arna i ddim eisiau i Huwcyn fynd a'm gadael.

'Does dim rhaid i ti fynd, Huwcyn.'

'Oes ar f'enaid i. Cadw'r blaidd o'r drws a ballu ntê.'

'Aros efo mi. Neith neb dy golli di yn fanno. Mae'n gas gin ti shifft nos p'run bynnag. Yli, gei di neud shifft nos yn fa'ma.'

'Rhaid i mi fynd, ysti. Mi fasa'r lle'n stopio.'

'Yli braf fasa hi'n y gwely,' sibrydais wrtho, a'm tafod yn brysur wrth fôn ei glust. Teimlais gynnwrf yn rhedeg ar hyd ei gorff.

'Mae hi'n braf yn fa'ma hefyd,' meddai gan fy nhynnu ato ar y mat croen gafr oedd ar lawr. Newydd brynu'r mat yr oeddwn i. Teimlais y blew hir yn cosi fy ngwar. Roedd Huwcyn fel anifail bach yn anwesol, yn ddi-ddal. Clywn ei anadlu'n cyflymu, ac yna ei lais yn fy nghlust.

'Mae'r croen gafr yma'n drewi, ar f'enaid i,' meddai.

Teimlais fy hun yn mynd yn llipa odano. Yn dda i ddim. Wedi iddo orffen aeth i'r bathrwm heb ddweud dim. Wrth i mi ailwisgo o flaen y tân ar fy mhen fy hun daeth rhyw ddüwch arnaf.

'Be oedd arnat ti heno'r hen goes?'

'Arna i?'

'Roeddat ti ar waelod y môr, fel y *Royal Charter* ar f'enaid i.'

'Os wyt ti eisiau gwybod, chdi ddifethodd bethau trwy agor dy hen geg. Mi brynais i'r croen gafr yna am 'mod i'n ei licio fo. Wyt ti'n dallt?'

'Hwyl oedd o. Dim ond rwbath i' ddeud.'

'Mi wnest ti ddewis yr amser rong i' ddeud, yn do?'

'Dydi o'n ddim byd. Dim ots gin i . . .'

'Dim ots gin ti! Fel yna'r wyt ti efo bob dim. Dy hwyl di ydi deud petha clyfar. Wel yli, dydi dy betha clyfar di ddim yn glyfar i mi.'

'Chlywis i mono ti'n cwyno o'r blaen. Fel yna'r ydw i ntê.'

'Ia, fel yna'r wyt ti, ac i'r diawl â phawb arall.'

'Fel yna mae hi rhyngon ni ntê, Eir. Pob un yn bod yn fo'i hun. Dim cwestiynau. Neb yn gweld bai am bethau sydd wedi bod.'

'Pwy wyt ti i ddeud sut mae hi i fod? Neis iawn, wir. Y cwbwl sydd eisiau i mi wneud ydi chwerthin am ben y jôcs a bod yn botal sbytriad. Swits ymlaen, a swits yn ôl.'

'Mae'n amlwg nad ydan ni'n dallt ein gilydd o gwbwl,' meddai'n ddistaw. 'Ofynnais i am ddim nad oeddat ti'n fodlon ei roi.'

Cododd. Gafaelodd yn ei gôt. Cerddodd at y drws a mynd drwyddo heb edrych arna i.

Fel yna yr aeth Huwcyn. Ddaw o ddim yn ei ôl, rydw i'n siŵr o hynny. Roedd rhywbeth terfynol yn y ffordd y caeodd o'r drws. Y tu yma i'r drws does yna ddim ond atgo'n gwmni. Daw hen atgofion i ddweud fy mod wedi bod yma o'r blaen. Yma mae ogla sur cymôd, yma mae ogla dafad wrth iddi waedu uwchben ffos. Gwelaf wyneb clwyfus yn plygu dros jac yn y bocs toredig. Gwelaf graith yn mendio ar goeden. Gwelaf gorrach yn cicio dail ym mharc y Coleg a chefn yn crymu wrth afael mewn dau gês. Dyma fi'n ymladd y frwydr eto, yr un frwydr yn union yw hi a'r un yw maes y frwydr. Nid fi ddewisodd hwnnw; cawsai hynny ei wneud ar fy rhan yn rhywle ymhell yn ôl. Ymateb yn ddall wnes i, a'm brifo fy hun wrth wneud. Ar dro medrais lapio'r cywilydd a'i anghofio, cogio nad oedd o'n bod, edrych arno o hirbell. Codi'i ben yn gryfach wnaeth o wedyn. Yn aml, aml cefais gysgod gan yr hyn a alwn yn gariad. Cariad roddodd y briw creulonaf i mi. Unwaith gwnes lw, sefais yn syth i wynebu'r gelyn gan guddio v tu ôl i addewid. Cyfrif yn f'erbyn i mae hynny heddiw. Yn y Coleg meddyliais 'mod i wedi adnabod y gelyn, rhois ergyd dros gyfiawnder i ddim ond darganfod camwri mwy. Ni fûm yn elwach ychwaith o swatio yng nghofl yr hil ddynol, a meddwl fod pawb arall yr un fath. Pan gefais fywyd yn felys yn y ddinas fawr yma meddyliais fod aeddfedrwydd wedi ennill y dydd, ond yn awr dyma fy hen elyn wedi cael y blaen arna i i ben y lôn.

Fel hyn y bûm i'n pendroni tan oriau mân y bore. Un peth oedd yn aros ar hyd yr amser oedd y clwyf o frifo pobl eraill. Hwn oedd yr edefyn du.

Tua dau o'r gloch y bore dyna gloch y drws yn canu. Tybed a ydi Huwcyn wedi dod yn ôl wedi'r cwbl, a'i fod o am dalu pris fy heddwch? Ond nid ateb felly a gefais i. Yn sefyll yn ei choban ar y trothwy yr oedd gwraig hen ddyn y fflat isaf. Syllai ar waelod y drws fel ci ffyddlon.

'Fasach chi gystal â galw'r doctor. Mae Defi'n wael. Dyna'r rhif ffôn.'

Stwffiodd bapur i'm llaw a brysiodd i lawr y grisiau yn ei hôl.

Wedi gwisgo amdanaf, rhedais ar fy union i'r bwth ffôn agosaf. Roedd gwynt llaith yn chwythu o gyfeiriad yr afon gan chwibanu yn y gwifrau uwchben, ac weithiau dôi pwff cryfach na'i gilydd i frigau'r coed. Gafaelodd ias y nos ynof. Roeddwn yn falch o glywed llais yn fy ateb ym mhen arall y ffôn, a'm neges wedi ei chyflawni.

Pan gurais ddrws y fflat ar fy ffordd yn ôl tybiais nad oedd am fy ngwadd i mewn.

'Ga i wneud rhywbeth i helpu?'

Symudodd yn ei hôl a gwneud lle i mi fynd heibio. Ni ddywedodd ddim. Safodd yn yr ystafell gan rwbio cefn un o'r cadeiriau yn ei hymyl a syllu ar y darlun o'i blaen ar y wal. Llun oedd o o'r haul yn machlud dros yr afon Tafwys.

'Sut mae o?'

'Dwn i ddim... Wyddwn i ddim beth i'w neud. Roeddwn i'n meddwl fod Defi'n marw.' Siaradai mewn llais bach crebachlyd.

'Mi ddaw'r doctor rŵan i chi.'

'Diolch.'

Daeth griddfan o'r llofft. Brysiodd hithau yno a minnau wrth ei sodlau. Trodd i'm hwynebu yn y drws a rhoi ei llaw ar fy mraich i'm hatal. Es innau'n ôl i'r ystafell fyw. Roedd y silff-ben-tân a'r cwpwrdd gwydr yn llawn o deganau gloyw, rhad, y byddai rhywun wedi eu prynu mewn siopau trefi gwyliau yn yr haf. Arwydd o flynyddoedd o wyliau gyda'i gilydd a phob tegis yn dwyn ei atgofion ei hun ac yn cyfrannu at gysur eu nyth.

Ar ôl i'r meddyg fod yn gweld y claf, daeth yn ei ôl i'r ystafell fyw a'r stethosgop yn ei law. Rhaid nad oedd o wedi gorffen efo fo.

'Llid ar ei ysgyfaint,' meddai. 'Rhaid i mi ei gael i'r ysbyty'.

'Na chaiff byth,' meddai hithau ag awdurdod na thybiwn ei fod ganddi. Yna meddai'n dawel, 'Rydan ni, Defi a minnau, wedi penderfynu nad ydi o'n mynd i'r ysbyty.'

Cododd y meddyg ei aeliau ac edrych yn ddifrifol. Eisteddodd i lawr i ysgrifennu'r presgripsiwn.

'Mi ro i dabledi iddo fo heno. Ewch i nôl rheina iddo fo yn y bore. Mi ddo i draw fory.' Ac i ffwrdd ag ef yn ddigon main.

Bu ei wraig yn tendio arno trwy'r wythnos honno. Daeth y meddyg â silinder o ocsigen iddo, ac fe alwai'r nyrs efo fo ddwywaith y dydd, ond ar ei wraig y disgynnodd y pen trymaf. Nid disgyn ychwaith, yn hytrach fe groesawai'r gwaith — yn westai perffaith iddo. Galwn i yno bob bore ac wedyn gyda'r nos a gwnawn ei siopio, hynny oedd arni ei eisiau. Cynigiais wneud bwyd iddi, ond nid oedd archwaeth arni, meddai hi. Cynigiais aros ar fy nhraed dros nos yn ei lle, ond gwelais ar unwaith na fynnai hi hynny. Ni chefais hyd yn oed gynnig mynd i'r llofft i'w weld, dim ond gwrando ar ei beswch dwfn a'i anadliad trwm. Ni wn i o ble y câi ei chorffyn bach yr holl nerth gydol yr wythnos honno. Erbyn y diwedd, teimlwn nad oedd ond dau lygad mawr ar ôl yn ei hwyneb.

Nos Lun galwais yno ar f'union o'r gwaith yn ôl f'arfer. Trawyd fi'n syth gan yr awyrgylch derfynol oedd o'm cwmpas. Bellach, doedd dim darparu yno ar gyfer y byw. Prin awr oedd yna er pan alwasai'r doctor, meddai hi. Yn annisgwyl, cawsai Defi drawiad ar ei galon. Ni fuasai neb wedi medru rhag-weld hynny.

Rhyw ddwy neu dair noson ar ôl y cynhebrwng eisteddwn efo hi o bobtu'r tân.

'Wedi bod yn clirio ei betha fo'r ydw i trwy'r dydd.'

Bu distawrwydd wedyn. Gwyddwn yn iawn ein bod yn meddwl am yr un peth, yr un peth nad oeddem wedi siarad amdano. Roedd arnaf eisiau gofyn iddi beth oedd hi am ei wneud â'r byrddau. Gofyn wnes i pam 'i fod o'n mynd i'r cae ffwtbol efo'r placard ar ei gefn.

Ni ddywedodd ddim am yn hir. Ymhen tipyn cododd yn ddistaw ac aeth i'r llofft. Daeth yn ei hôl a dau lyfr copi yn ei llaw. Roedd ansicrwydd yn ei cherddediad wrth iddi nesu ataf.

'Rydw i'n meddwl 'mod i'n gneud y peth iawn trwy roi'r rhain i chi. Mi gewch fynd â nhw efo chi i'w darllen. Wyddwn i ddim eich bod chi'n gwybod.'

Ei ddyddiadur o am bymtheng mlynedd oedd y ddau lyfr. Nid oedd cofnod am bob dydd. Brawddeg neu ddwy'n unig yn aml iawn am ambell ddiwrnod. Sylwadau oeddynt ar ddigwyddiadau y tybiai ef eu bod yn bwysig. Edrychent yn ddibwys erbyn hyn a'u harwyddocâd oedd eu bod yn gofnod o'r hyn a fu: y tywydd, ei waith ar y lein, salwch, pethau wedi'u prynu ac wedi rhoi pleser iddo. Roedd o hefyd wedi ysgrifennu am newidiadau ym mywyd ei genedl ac ym mywyd y byd, materion yr oedd o wedi poeni amdanynt. Yma ac acw ceid nodyn am ryw lyfr neu'i gilydd a ddarllenasai. Dyddiadur dyn diwylliedig oedd o. Clywswn sôn am bobl fel fo, pobl a rhuddin yn perthyn iddynt. Rhyw ddwy flynedd cyn y diwedd roedd cofnod a newidiodd holl naws y dyddiadur:

Mehefin 21ain
Damwain heddiw. Bob yn cael ei wasgu. Diwrnod poeth a hir ofnadwy.

Mehefin 24ain
Bob yn marw. Ffarwél i'r dydd.

Mehefin 27ain
Cynhebrwng Bob. Gweld y gofid a achosais. Dymuno cael fy rhoi yn y pridd efo fo. Does neb yn fy meio. Gofid dyn ar ôl ei gyfaill a welant hwy. Gallwn innau dderbyn hynny, ond mae yna rywbeth arall na allaf ei dderbyn ac mae'r peth hwnnw fel picell yn fy nhrywanu.

Mehefin 29ain
Cael partner newydd, Selwyn, gŵr bach sionc. Ydi o'n fy amau tybed? Ydi o'n gwybod fy mod i wedi lladd fy mhartner? Ydi o'n dweud amdanaf yn ei feddwl, 'Rhaid

i mi wylio nacw rhag ofn iddo wneud diwedd arna i'. Mae'r euog meddan nhw'n gweld ei gysgod rhyngddo a'r haul. Wrth wrando arno'n gweithio mi fydda i'n meddwl mai Bob sydd yno. Disgwyl gweld Bob yn dŵad rownd y gornel, ond Selwyn sydd yno.

Gorffennaf 1af
Mae Elin yn dechrau blino arna i. Mae hi wedi ffeindio'r corpws du yma'r ydw i'n ei gario efo mi ac mae hi'n crafangu amdano efo'i chwestiynau. Fedra i ddim ateb i mi fy hun hyd yn oed. Fedra i ddim gofyn y cwestiynau iawn i mi fy hun. Meddwl y mae hi mai colli Bob sy'n dweud arna i. Wedi ffeindio cyhuddwr yr ydw i sy'n estyn bys ata i.

Gorffennaf 15fed
Diwrnod Swithin. Ers talwm byddai arnaf ofn iddi fwrw ar y dydd hwn. Rhois y gorau i ofergoelion felly. Ffeithiau oedd popeth i mi a Duw yn gyfystyr i mi â ffeithiau moel. Dyma fi wedi dod ar draws ffaith yn fy mywyd na fedraf ei llyncu. Y ffaith 'mod i'n euog o ladd fy mhartner. Methu â derbyn fy mod yn euog yr ydw i. Yr euogrwydd sy'n ofnadwy. Mae'r hyn a wnaeth fy llaw i'r diwrnod hwnnw wedi parlysu fy llaw i ar gyfer gwaith, ac mae'r parlys yn cerdded fy nghorff. Elin eisiau i mi drefnu ein gwyliau. Dim calon.

Bwrw wnaeth hi heddiw. Ni allwn ddisgwyl dim ond glaw rŵan!

Awst 16eg
Ailddechrau gweithio ar ôl bod ar ein gwyliau. Yn y wlad y buom ni yn ôl ein harfer ond ni chefais funud

o bleser. Yr hyn oedd fwynhad i mi gynt a aeth yn bla. Gynt hoffwn y distawrwydd, y lliwiau a'r bywyd distadl. Dyma'r pethau a agorai fy nychymyg a dod â'm plentyndod yn y wlad yn ôl i mi. Y tro yma 'roedd hi fel petai papur sidan wedi ei roi dros y llun rhag i mi ei weld, ac yna cawn fy ngorfodi i edrych ar lun sinistr o'r ffaith hon sydd yng nghanol fy mywyd. Bore heddiw cefais bleser yn gwisgo amdanaf ar gyfer fy ngwaith. Wrth roi fy iwnifform amdanaf roeddwn yn gwisgo drachefn fy ngofid amdanaf; hynny'n esmwythach na'r ymdrech i'w ddiosg. Credaf mai'r anallu yma i ddiosg fy ngofid sy'n fy nychryn fwyaf. Ni welais amser o'r blaen na allwn drwy nerth ei roi o'r neilltu.

Dychwelais heddiw fel hwch i'w gorweddle.

Awst 17eg
Ni feddyliais erioed o'r blaen nad oeddwn yn feistr ar fy nhynged. Credwn mai hunan-les a diffyg gwybodaeth oedd yn rhwystro dyn rhag trefnu ei dynged ar y ddaear. Eto, dyma fi, a rhan helaethaf fy oes wedi ei threulio, wedi dod ar draws damwain, nage, esgeulustod, a hynny sy'n cloi f'ewyllys.

Awst 20fed
Breuddwydiais neithiwr. Gofynnai'r hogiau i mi: 'Beth sydd gin ti i ddeud wrthon ni?'

'Dim. Be ydach chi eisiau ei wybod?'

'Chdi ŵyr. Deud ti.'

Wyddwn i ddim beth i'w ddweud. Roeddwn i wedi anghofio rhywbeth pwysig. Cwestiwn dau finiog oedd eu cwestiwn gan na wyddwn i beth a wyddent yn barod.

'Deud. Neu mi wyddost be wnawn ni.'

Doedd gen i'r un syniad o'u bwriad. Sibrydodd y naill wrth y llall a chwarddodd y ddau.

Bodolaeth amffibaidd sydd gen i bellach: ar un llaw mae'r ddrama fewnol hon, ac ar y llaw arall fy mywyd ymysg pobl yn fy ngwaith a'm cartref. Pa un yw'r un iawn?

Roeddwn i'n deall ei iaith i'r dim. Darllenais ymlaen ac ymlaen. Bu'r nos yn ei hanes yn hir. Llynedd daeth cyfnewidiad i'r dyddiadur:

Ebrill 7fed
Dydd Gwener y Groglith
Bore heddiw yr oedd yr haul yn tywynnu ar flagur boliog y coed yn y parc. Gallwn deimlo eu poen wrth iddynt chwalu eu cen gludiog oddi amdanynt. Canai clychau'r eglwys yn undonog galed, yn pwyso fy ngofid i lawr i'm calon, pob cnoc yn ei wasgu'n dynnach. Ar ôl dod adref gafaelais yn Y Beibl a dechrau darllen hanes y Dioddefaint. Dyna'r peth i'w wneud heddiw. 'Traddodi i'w groeshoelio . . . traddodi. A'r milwyr a'i dygasant i'r llys . . . dygasant . . . porffor . . . gwisgasant. Yna aethant ag ef allan . . . aethant. Croeshoeliasant.'

Anallu llwyr. Onid oedd anallu yn dileu euogrwydd? Cofiais am ddafad yn gwaedu uwchben ffos.

Ebrill 8fed
Darllen heddiw eto hanes y Dioddefaint. Meddwl mor braf oedd hi ar Simon o Gyrene.

Ebrill 17eg

Mynd i brynu coed a dechrau arni'n syth. Mesurais hwy a'u llifio i'w maint ar gyfer y ffrâm. Naddais y pennau'n grwn, gwneud morteisi a'u curo i'w lle. Mewn myfyrdod hir y curais i'r hoelion i ddal y bwrdd yn y ffrâm.

Ebrill 18fed

Cwblhau'r ail fwrdd. Gwyddwn yn iawn beth i'w sgwennu ar y tu blaen. Ar y cefn meddyliais am roi 'edifarhewch', ond mae dynion fel fi wedi edifarhau gannoedd o weithiau ond yn dal yn ein gofid. Hoeliais y strapiau i ddal y byrddau yn ei gilydd. Yna gosodais hwy dros f'ysgwyddau. Nid fi oeddwn i wedyn. Dyn rhwng dwy dafell! Dydi'r dyn ddim yn bod. Dim ond coesau i gario sydd yna.

Ebrill 22ain

Bore Sadwrn. Ar gychwyn. Daeth penysgafndod drosof wrth feddwl am yr hyn sydd o'm blaen. Fi, sydd wedi caru'r encilion, yn mynd ati i wneud sôn amdanaf fy hun ac am Elin. A fydd rhywun yn gas neu hyd yn oed yn fy mhledu? Gwn fod yn rhaid i mi ddangos y peth yma i'r byd.

Nos Sadwrn. Dyna'r tro cyntaf drosodd. Pan osodais y byrddau dros f'ysgwydd cefais y teimlad drachefn nad fi oeddwn i. Llwyddais i ymddangos ar y stryd o flaen yr holl bobl yn fwy rhwydd nag yr oeddwn wedi ofni. Cerddais i fyny ac i lawr o flaen y brif fynedfa a sefyll wedyn ar y palmant yn gwylio'r dorf. Chefais i fawr o sylw, ambell edrychiad gwawdlyd a chilolwg hanner tosturiol ar y diniweityn. Gwyliais innau hwythau. Bob lliw a llun yn llifo heibio. Hogiau ifanc yn llawn hwyl a lol oedd y mwyafrif. Y rhai hŷn yn fwy syber. Pob un yn mynd heibio yn stori boenus ar ei hanner a'i ddeisyfiadau yn bileri ei fywyd. Pob un yn cario rhyw dybiaeth ohono'i hun a oedd yn gelwydd golau i bawb arall. Cyn bo hir roeddwn innau yn un ohonynt. Swatiais yn eu mysg gan deimlo'n fach a di-sylw a'm hunan-dyb am eiliad felys wedi toddi'n llymad.

Llawenydd yw'r gair i ddisgrifio gweddill ei ddyddiadur. Roedd digon o ofid ynddo hefyd, ond roedd holl ffrâm ei fywyd fel peilon wedi ei osod ar belen o lawenydd pur. Gallai ei holl adeiladwaith ogwyddo ym mhob drycin.

Teimlwn ei fod wedi cael enw ar ei friw ac fe'i dangosodd i'r byd. Llwyddodd lle methais i — er cymaint yr ymleddais â myfi fy hun. Ond roeddwn innau wrth ddarllen ei ddyddiadur yn clywed atsain, fel pe bawn i'n sefyll ymhell o faes yr hen frwydrau, yn gwrando yn unig ar eco ergydion. Gwn hefyd mai dim ond egwyl yw hyn. Rwy'n siŵr y fflachia'r llidiowgrwydd eto yn y dyfodol. Digon i mi yn awr yw gwrando fel pe ar gyfrinach.

Darllenais un nodyn yn ei ddyddiadur a'm hysgytiodd:

Ionawr 5ed
Heddiw gwelais y ferch sy'n aros yn y fflat uwchben yn mynd i weld y gêm. Wedi iddi fy mhasio trodd ei phen yn ôl i ddarllen yr ysgrifen. Yna aeth yn ei blaen gan afael yn dynn yn ei chariad. Roedd rhywbeth yng ngogwydd ei

hysgwydd yn crefu am gydymdeimlad. Gwn yn iawn sut mae hi arni.

Gogwydd f'ysgwydd. Beth welodd o? Wêl neb mo'i gefn ei hun. Beth sydd wedi ei guddio yno tybed i ennyn y fath gydymdeimlad? Tybed ai peth fel hyn yw tosturi tad? Fe'i cefais am ychydig, ac yna diflannodd o'm golwg. Ond mae o'n beth sydd wedi bod, a hynny sy'n bwysig.

Mewn distawrwydd y rhois i'r llyfrau yn ôl i Elin. Cymerodd hithau hwy heb ddweud dim. Roedd y trosglwyddo yn seremoni fach. Wedi i mi eistedd gofynnais iddi:

'Pam oedd o'n mynd? Pam na fasa fo wedi mynd yn bregethwr neu rywbeth os mai fel yna'r oedd o'n teimlo?'

Nid atebodd fi am yn hir. Roedd yr hunanfeddiant tawel hwnnw wedi dod drosti eto.

'Roedd Defi fel Moses,' meddai. Yna, wrth fy ngweld mor ddiddeall esboniodd i mi. 'Heb ddawn ymadrodd. Doedd gan Defi ddim top ceg.'

Ni allwn ddweud dim. Gwrandewais arni'n snwffian trwy ei thrwyn main. Myfyriais efo hi ar ei fywyd a'i weithred eithafol. Yna, meddai hi:

'Roedd yn rhaid iddo fo wneud rhywbeth neu ddarfod amdano. Roedd ei faich o mor fawr.'